戴國煇全集 16

文化與生活卷

◎四十年日本見聞錄
◎未結集：中日文化之我見

目次
contents

四十年日本見聞錄

未結集：中日文化之我見

輯一　生活札記

輯二　漫談語言與教育

戴國煇全集 16

文化與生活卷

四十年日本見聞錄

林彩美　譯　陳梅卿　校訂

不囿於偏見
──讀一則有關拙於計算的美國人報導

◎ 林彩美譯

最近看到很有意思的外電報導和電視畫面。

外電是由UPI（合眾國際社）報導的美國人拙於計算。依據該電，以全美17歲的青少年34,000人與成人4,200人為對象，由全美教育調查中心所實施的調查。

結果能對商品有正確評價，並以最經濟價格而購買的人是全體的一半以下，能計算計程車價的青少年只占全體的10％，成人為20％；再是能正確地計算餘額開出支票的人，青少年占1％，成人也只有16％。

又，吸引我的電視影像是，8月5日晚間十點半放映的東京12頻道《中國歸還者們之夏》的木元スミエ與在中國東北部失散的兩個姊姊的表情，以及使用的語言。

僅以影像所見，姊姊兩人的容貌與幸運地和父親重逢、敗戰後不久即回國的妹妹木元スミエ之間，可感到淡淡、共通的東西，但兩位姊姊看起來完全一副中國農婦模樣。

如沒聽錯，長姊是44歲，那麼戰敗當時是中學二年級或一年級學生；二姊則約小一兩歲，是小學五或六年級。但是她們在30

年的歲月中完全忘記母語日語，與妹妹スミエ的對話都得經由翻譯。

乍看之下，美國人的不擅長計算與戰災孤兒木元姊妹中國化的容貌及忘記母語之間，似乎沒有任何關係。其實不然。此兩件事象不約而同地證明給我們看，人類受後天環境的影響是如何的強；又人類為了生存下去，有意識或無意識地嘗試順應環境這件事，是我所要關注的。

外電傳來數日後，我拿著刊載此文的報紙，徵求數位熟人的意見。得到的一般反應皆是「哦！那美國人怎麼會這樣」的極坦率回答。

如果報導中所調查的對象只是黑人、印地安人等特定人種群體，或是東南亞的印尼人、馬來西亞人，反應會是如何？我逕自想像。

據我有限的經驗，其反應恐怕是「果然是這樣，落後嘛」。

因職務的關係，受邀演講有關東南亞的「華僑」問題或受質詢的機會很多。在那種場合，與會者或質詢者之中，幾乎可說必然會蹦出華僑＝漢民族優秀說與原住民劣等說的單純能力比較論。因為有這種令我厭煩的經驗，所以我才做出以上的推測。

受華僑＝漢民族優秀的偏見所囚囿的也不限於日本人相關人士。華僑有很多人也相信自己好像先天比當地原住民優秀，這才是問題之處。

大約十年前，著名的某東大教授問我：「戴君，有點難以啟齒……，中國人是不是對自然科學不靈光？」雖是李約瑟教授（Joseph Needham，英國劍橋大學國王學院院長）的《中國之科

學與文明》（*Science and Cirilization in China*，日譯本由思索社出版）還沒有像現在如此著名的事，但這真是令我困惑的提問。

老實說，對某教授的「無知」與偏見，現在我還沒有笑他的勇氣。因為不少崇尚西歐的中國知識分子，受西歐「有識之士」的似是而非之說而中了毒，到最近還相信中國人對自然科學不靈光、中國醫學是騙人醫學等。

在我自認是外行人的前提下，我以為街頭巷尾所流傳的原住系印尼人、馬來人沒有商才、數學不靈光之說，與美國人不擅長於計算的報告，其原由相同，可從他們所處的生活環境與目前的生活必要性之關聯上找出大半原因。

在此意義上，我不贊成華僑＝漢民族優秀說，對不擅長計算一事亦不感到驚訝、震驚。何況生活方式基本上不改變的話，僅學習算術，我想也不能解除拙於計算的情形。

由已被議論很久的日本英語教育之例也可知道，在生活上英語的需要度不高時，只為了考試目的之英語教育，無論花多少時間與精力，情況是不會好轉的。

現在還根深柢固留存的「日本人對外語不靈光」之說也只是偏見之類，將此偏見粉碎的是前述戰災孤兒木元姊妹能使用道地的中文吧。

一直到近代，計量民族資質的尺度大多基於西洋列強的霸權者與其追隨者所創造的基準。

恐怕言之過重，連屬於非西洋文化圈的知識分子，不知何時也陷入西洋的基準中，受其擺布，最後自己把那追隨者的地位錯認為宛如光榮之座，至今猶感激地安坐著，這真令人遺憾又慚

愧。只能說真是不爭氣之外，又能怎樣呢？

　　那麼，1975年正值八一五的30周年，戰後最大的經濟不景氣、中南半島的劇變、印度議會民主主義的混亂、韓國情勢的不穩、中蘇對立的激化等，像是在強烈地告訴我們亞洲正面臨新生和轉生的大轉換期。

　　乘著高度經濟成長的順風號，在亞洲不履行真正意義的民族和解的手續，又企圖再回歸亞洲的日本民族，那「帳單」會遞來的跡象並非沒有。在「帳單」未遞來之前，姑且基於我們自己的非西洋基準，在意識面相互試試自己能力的判定，不知如何？

　　　　本文原刊於《中日新聞》，1975年8月11日。原題「憶測は真実を見失う——偏見から自由におろう」

中日花緣
──茉莉花與含笑花的故事

◎ 林彩美譯

　　暑假前的某一天，受學習院大學教授小倉芳彥（原學習院大學校長）先生轉贈《池田醇一追悼文集》。

　　在拜讀之前，我都不知道原來那時不時在東京神田神保町的中國專門書店見過的白髮、清瘦有風度的老爺爺，就是池田醇一先生，並是知名的「味之素」〔譯註：味精〕發現者池田菊苗博士的長公子。

　　這本文集真是教給人許多埋沒的史實。

　　乃翁菊苗博士在倫敦與夏目漱石同宿50天，且同時皆愛閱讀馬克思（Karl Marx）文獻，說他很可能是第一位讀完《資本論》的日本人的一篇文章大為引起我們的興趣。

　　這暫且不談，醇一翁是1974年6月16日辭世，享壽82歲的中國美術史研究家。年過70歲時學習中文，為促進中日兩民族的和解與友好，做了種種活動。

　　他也是在戰中，伸出援手給因郭沫若逃出日本，受波及而坐牢的中國美術家瘦鐵（本名鐵崖）的善心人。

　　在中日兩民族間最困難時期，姑且不說如此美麗的友情應該

被記憶、表揚，希望在最低限度的史實留下更詳細紀錄。

醇一翁又好像極喜歡花。在1964年訪中的歸途獲得廣州產的茉莉花，隨後帶回日本，插枝繁殖贈送給許多友人。

此花雖小但清香宜人，撫育此二、三朵聚集著、靦腆地開放的茉莉花，其贈送朋友們的「花之心」是什麼，如今無從請教。

想想林正子女士在〈謹獻給編茉莉花環之翁〉〔〈謹んで茉莉の花索を編みし翁に捧ぐ〉〕中吟詠著「撫育茉莉花兮頒四方，維繫東瀛與禹域兮編花環」（《池田醇一追悼文集》，頁125）就是其期望。

我自忖不致牽強附會，願加以補上一段。近代中日關係一直以來僅是臭鄰關係，醇一翁試著以茉莉花之芳香除臭清穢，寄託希望於花，「辛勤」創造出芳鄰關係。

還沒見過真正茉莉花的讀者諸賢，有喝過茉莉花茶的經驗吧。

馳名世界的中國花茶是經過特別的加工過程，把各種花香加入茶中。其中以茉莉為上品。

我知道現在花店以jasmine為名的盆栽，與醇一翁所繁殖的茉莉花不一樣。

家人花了很長時間找遍各地，終於偶然地在附近的花店買到兩盆。問了花店，店主說也叫jasmine，但這是野生的jasmine。

「為什麼是野生的？」對我的發問，未得到說明。

日本和魂洋才的痕跡在花的稱呼上也沒完沒了地持續著。

以往僅止於關西的hibiscus，近來也廣泛普及，關東一帶也可見到其蹤影了。這個hibiscus追本溯源，在沖繩叫琉球木槿，在台

灣叫佛桑花（或扶桑花），是到處可見的花。

因長久以來的陋習，日本人對琉球木槿與台灣扶桑花不產生「花之心」與感動，但對夏威夷的hibiscus好像就特別感動。

最近旅行回來的友人，同樣對夏威夷的poinciana的整片火焰般的深紅讚不絕口。我告訴他，poinciana即是台灣中南部普遍的行道樹鳳凰木，他便失望地說：「什麼，原來是這樣的啊。」病入膏肓即此之謂也。

然而郭沫若的亡命，又讓我想起另一種花之緣，有關含笑的軼事。

含笑花的日語叫karataneogatama，又叫作banana shrub。

華南、台灣、越南各地，婦人用來替代香水與當作髮飾而珍重的就是這種花。黃白色略圓的六瓣花冠小花，直到花快謝時花瓣都保持半開，所以才被命名為含笑吧。

婦人們愛用它為髮飾，所以含笑花對我們來說是故里的花、母親的花，那稍帶甜味的芳香更加令人挑起對母親的思念。

1969年的時候，我查閱戰前出版的《台灣文藝》（2卷2號，1935年2月）時，看到文藝評論家賴明弘寫的〈訪問郭沫若先生〉一文。文中有一段寫郭沫若在市川〔譯註：日本千葉縣〕隱居的院子種著含笑的小樹。我對此發現感到驚訝與歡喜。

記得郭沫若好像是從華南遷移四川的客家，也是華南之「子」，是否是以含笑療癒鄉愁呢？

郭家的含笑不知從何處引入。但同時間聽到有台灣出身的醫師G氏在市川培植含笑的苦心之談。受其恩惠吧，我們狹小的院子也能種了一株。

　　自那以來，我們以故里之花、母親之花，在初夏把含笑花送給鄰居友人，培植小苗分給同鄉。

　　不僅告知醇一翁的花之心，我們也想從此以一個中國人的身分，繁殖茉莉花與含笑花，讓日本友人們分享花香，為中‧日花緣之環更加擴大而努力。

　　通過與日本人的對話，想擔負起構築日本與亞洲應有的親善關係，做為「架橋」之一石的我，很高興現在又增加了芬芳的角色。

　　　　　本文原刊於《東京新聞》夕刊，1975年9月22日，第4頁。原題「日‧
　　　　　中花緣──茉莉花と含笑花のこと」

爆竹與中國人

◎ 林彩美譯

　　從中國傳來的消息常常是具有衝擊性的。這次圍繞著「四人幫」政變的報導也不例外。

　　然而，在一連串有關「四人幫」政變的報導之中，有一段可說是不顯眼的，謂「酒與鞭砲售罄」云云。不知讀者諸賢有否注意到這一點？

　　酒暫且不說，這鞭砲到底是怎麼一回事呢？我想不少日本人會對此感到詫異吧。

　　事實上，不只是以日本人為首的外國人，就是在鳴砲的中國人自身，也往往不清楚為何要放鞭砲。看起來在一般的情況下只是因為大家都這樣，有喜事的時候也要，因而習慣性地自己也就照做，並沒有經過太多的深思熟慮。

　　是否為了反映這一點，成立新中國之後重新編輯的《辭海》（1961年11月第一版之試刊本，本稿利用其復刻本【龍溪書舍】，將簡體字改成繁體字）中如此記載：「古時用火爆竹，爆裂發聲，謂之爆竹，以為能驅除山鬼，於節日或喜慶日燃之。」

　　照現在的說法是在節日或喜慶之日鳴放，而應注意的是，鳴

放的理由被看成是為了驅趕「山鬼」。不用說,有關爆竹與驅除山鬼的故事可散見於中國的古籍。

在西元6世紀成書的年中行事記,梁‧宗懍《荊楚歲時記》有「正月一日,是三元之日也,謂之端月。雞鳴而起,先於庭前爆竹,以辟山臊惡鬼」的記載。此乃其中一例。同文中的「山臊惡鬼」就是相當於前面的「山鬼」吧。

又有關「山臊」一詞,隋朝人杜公瞻在附於《荊楚歲時記》之後的註釋中,曾做如下解釋:「按《神異經》云:『西方山中有人焉,其長尺餘,一足,性不畏人,犯之則令人寒熱,名曰山臊』,人以竹著火中,烞熚有聲,而山臊驚憚遠去。《玄黃經》所謂山獵鬼也。」《神異經》自不待言,是後世之人冒前漢之滑稽文學者東方朔之名而寫的知名偽書。是誰所留的偽書暫且不管,杜公瞻曾引用過,所以應是隋朝或更早以前所刊行的書,這應該大致不會錯。

杜公瞻那段話的大意是:「據《神異經》說,『西方的山中有事住人,身高一尺餘,一隻腳,其性不怕人,冒犯之則令人生病,名叫山臊』,人(若遇之)將竹投入火中,(竹節爆炸)轟轟作響,山臊驚憚而逃,即《玄黃經》中的山獵鬼」。

《荊楚歲時記》與《神異經》何者成書較早,在筆者的評論之外,暫且擱下。其實直至隋朝,爆竹都不是塞進火藥使之爆炸之類的東西,而是把青竹或苦竹投入火中使其發出聲響,從前面的引文中即可明白這一點。

因而爆竹之名,實可說是其「原型」之表現。

然而,在現代中國人的日常用語中,爆竹已成死語不通用,

但在日本語中，爆竹一詞還持續在被活用著，這倒是滿有趣的。順便提一下，現代中國人把爆竹叫作鞭砲、紙砲或砲仔。

　　前面的引文又給予我們另一個教誨，即爆竹，也就是燒竹子的最初目的是在祓除不祥。「山臊」或惡鬼本來是不存在之物，可解釋成所謂的妖怪或邪氣。

　　圍繞著「四人幫」政變的「放砲」是否含著消災的意義，該是非局外者所能知道的。當然如能消災而且「開運」，無疑是代表高興、喜慶的事。但是鳴砲的原意並不是因為慶祝，或有喜慶的節日所以要鳴放，恰恰相反，是為了消災、開運，希望帶來吉祥──這是鳴放者方最初的道理。《神異經》所記暫且不談，《荊楚歲時記》記述的元旦鳴砲習慣，至今仍在中國人或華僑社會裡連綿不斷地延續下來。

　　這令我想起筆者年幼之時，台灣家家戶戶門上所貼的春聯（又叫門聯）對句中，也有：「爆竹一聲除舊歲，桃符萬戶更新年」和：

爆竹聲中一歲除，春風送暖入屠蘇。

千門萬戶瞳瞳日，總把新桃換舊符。

等句子。

　　日常用語中可說已經成為「死語」也不為過的爆竹，在春聯等對句中至今猶可見到持續不變地使用。或許是因為消災之願猶為人們所信奉吧。

　　到了唐朝，爆竹之名又被加上爆竿。因竿不外乎是竹竿，收

錄於《全唐詩》，來鵠〈詠元日詩〉＊中有：

> 新曆才將半紙開，小庭猶聚爆竿灰。
> 偏憎楊柳難鈐轄，又惹東風意緒來。

可做憑據。追溯古籍可見正月元旦鳴放爆竹的習慣，似乎自《荊楚歲時記》以來就紮下根了。

　　中國人也把正月元日叫作「開正」、「開春」，於年末準備完迎新年，除夕之夜一家吃團圓飯後就等「開正」。「開正」因干支而定時刻，時刻到了家家戶戶一起鳴放鞭砲迎新年。舊中國或現在的台灣以及東南亞的「華僑」社會，鳴放鞭砲的同時也在神佛前供奉紅棗、冬瓜糖、生仁糖等「甜料」，並燃香、燒金箔紙，一家大小恭拜，此儀式稱為「開正」或「開春」。

　　日本在除夕之夜必須撞鐘，而中國人就是鳴砲迎新。現在的日本，在節分〔譯註：立春、立夏、立秋、立冬的前一天，至今日主要指立春的前一天〕進行祓除邪鬼儀式，但古時候則是在除夕當天。消災除穢，祓除邪鬼，然後舉行迎新年儀式，只是沒有爆竹之聲響，但可說日本人與中國人是抱著共同的願望在辭舊迎新的。

　　在前面所舉的春聯對句中有「桃符」一詞，係指春聯、門聯，其由來據說是《山海經》。

＊ 據《景印摛藻堂四庫全書薈要・御定全唐詩》所載，本詩題名為「早春」。

《山海經》有言：「東海度索〔朔〕山有一大桃樹，蟠曲三千里，其枝向東北，其下有二神，曰神荼、鬱壘，執害人百鬼以食虎，黃帝以之爲法，象之桃板（枝），以掛戶上，畫二神於門扉以禦凶鬼。」今之門聯（春聯、桃符）即出於此。（片岡巖，《台灣風俗誌》）

鞭砲與春聯可說是構成中國人迎春儀式的一套東西，或可說直至現在還有一部分在沿用著。

提起春聯對句，前面所引用的「春風送暖入屠蘇」中的屠蘇令人掛心。因爲在我的記憶中，喝屠蘇酒的習慣在我們的生活中已經消失。我還清楚地記得來日本的第一年，因賀年而拜訪日本人知己時，受到主人以屠蘇酒款待，令我感到些許驚訝。

據孫思邈（藥上真人）的《屠蘇飲論》，「屠」有屠殺鬼氣、「蘇」有使人魂蘇生之涵義。以現代式的說法是一種中藥——其處方爲大黃、蜀椒、桔梗、桂心、防風（各半兩），白朮、虎杖（各一分），烏頭（半分）——磨細裝入布袋，在除夕之黃昏吊於井中，元旦取出連袋浸酒中，全家共飲之。一人飲全家無恙，一家飲全村無病。浸後之渣掛門口，據聞可以之避瘟氣。

在近乎於全盤接受西洋醫學的日本人中留下了屠蘇酒，並經常嘗試著將西方的衝擊反彈回去，對「中醫」抱著無限執著的中國人中卻已不見了屠蘇，這到底是爲什麼？我對此感到興趣無窮。文化交流產生出如此的結果，又豈不樂哉？

閒話休提，言歸正傳吧。

　　爆竹不是燃苦竹、青竹使之炸裂，而是改用將竹管、紙管或紙筒內塞入炸藥，可設法令之能夠隨意爆發又是從何時開始的呢？

　　清朝人翟灝（晴江）在其編著中，曾有如下的記載：

> 古皆以真竹著火爆之，故唐人詩亦稱爆竿。後人卷紙為之，稱曰爆仗，前籍未見，惟《武林舊事》言：「西湖有少年，競放爆仗」……又言：「歲除爆仗有為果子人物等類……，內藏藥線，一爇連百餘不絕……」。（《通俗編》）

　　這是略述從爆竹轉移向爆仗的過程，但若仔細查看，可發現不只《武林舊事》，宋朝崇寧宣和年間（1102～1125）描寫開封都市社會生活的《東京夢華錄》（孟元老著，1147年成書）中也提到過爆仗的使用，但是都未言及製作方法。

　　可證明爆仗無疑為現在鞭砲之原型的資料，是南宋施宿所撰寫的《會稽志》（1201年成書）中「除夕爆竹之聲相聞，或以硫黃作爆藥，聲尤震厲，謂之爆仗」。

　　由爆竹變成爆仗，時代愈往下移，用途也從過年之夜的祓除不祥走向祀神、送官、嫁娶、盛宴，甚至於月蝕之時也鳴放用以助興。

　　曾是祓除災厄道具的爆竹，現在大多用於表示誠意、喜意之助興道具。

　　然而或許是因為其聲音與小槍、「連珠鞭砲」與機關槍之聲響容易混淆吧，政府時或禁止鳴放。在國共內戰時的大陸、戒嚴

令下的台灣、越戰時期的堤岸和西貢等地就是如此。特別是在那種時代，有心之子民會明確地記起那逐漸被遺忘的「爆竹是祓除災厄的道具」。

　　正如前面所看到的，爆竹有時是小孩的玩具，但也會變成大人極具政治性的道具。

本文原刊於《月刊百科》172號，東京：平凡社，1977年1月1日

我的日本體驗
——十足的境界人

◎ 林彩美譯

　　日本這個國家，好像住得愈久就愈能了解它似的，其實不然。要掌握一個已造就非常悠久的傳統或文化、歷史的民族實像，本來就是一件很困難的事，所以雖有不少出版社邀我寫日本論，但我至今還沒有承諾的自信。

　　這個暫且不提。總之，要談別人終歸也是要暴露自己。我生於1931年的台灣，因為當時是日本的殖民地，所以，類似於殖民地的原始體驗之類我個人是有的。

　　現在我開始要向各位講述我的日本體驗。做為其前提，我希望能事先得到各位的理解，提一下我的簡歷可能比較好。在台灣，一般大概七歲入公學校（相當於日本的小學校，是台灣人念的小學），然後從學日語的字母開始接受日語教育。因為我住在台灣的農村，所以真正與日本人相遇也是從公學校開始的。從那個時候算起到1945年8月15日，即所謂的八一五（當時我是初中二年級學生）為止的大約八年間，首先是戰前階段的，我的日本體驗。

　　然後是在1955年11月21日，當時羽田機場可沒有現在〔1977

年〕這麼擁擠。我搭乘螺旋槳飛機來日本的航程，整整花了八個鐘頭。從那時起約十個年頭我在東京大學受栽培，得到學位後，進到亞洲經濟研究所，也待了大約十年。去年4月1日，我在立教大學史學科得到研究與教學之職。因此從時間上講，我在日本的生活很快將滿22年。因我的生日還未到，故以滿45歲來算的話，22年再加上戰前的8年，日本體驗總共就有30年，可謂人生的一半以上與日本有關。我的第三本雜文集書名是「境界人的獨白」（龍溪書舍出版）。之所以取此書名，是因為無論從時間上來看，或者是從我所生活的空間來講，大約都是處在中國與日本之間，亦即我自己現在還是處於這個境界上，以這個自我認識做為前提的。也可以說是依我個人的「境界人」的方式寫下獨白，彙集成書，所以以此為書名。我的演講也將採取相似的方式進行，如能得到各位寶貴的批評，本人將不勝感激。

　　無論從時間還是從空間上來看，我都具有十足的「境界人」資格。我的用詞與社會學所說的邊際人概念沒有關係，完全只是基於我對漢字的語感或字感而來的。所以在這裡談到日本人與日本文化時，其實也是在談我個人，談我的生活感覺。或者是我想對透過父母、祖父母在家庭生活中所接受的中國文化背景、對事物的思考方式，透過談日本文化與日本人的過程，同時再做一次自我確認。就此意義上而言，談論他人同時也會暴露自己，因此我感到非常的恐懼、害怕。

　　另外一點是，很遺憾我雖然在日本已待了22年，還真不敢說已了解日本文化，也沒有勇氣去描繪日本人的圖像應是這樣或那樣。所以，我要講的是在我有限的，或者說是小範圍裡的生活體

驗，或透過日本體驗是否也有這樣的看法，大致是以此本意出發，如能得到諸位的理解，我將非常感謝。

還有一個問題是，不只是我個人，近、現代的中國，或包含台灣在內的中國人與日本人的關係，或是在民族規模的中日兩民族間持續了一段非常不幸的相遇與關係。包括我個人在內，這是非常不幸的相遇。這個不幸的相遇簡略來說，首先是眾所周知的，台灣自1895年以降的50年間遭受日本的殖民統治。中國大陸自此之後經過種種曲折，結果是到1945年為止陷在中日戰爭的大泥淖裡。這樣的話，做為中國人的我，或者是中國民族自身在談日本、看日本文化的時候，就不免有從被害者的立場出發，或無法充分克服被害者意識來看問題的可能性。

我常在各處演講的時候談到，如果只是停留在被害者的意識裡，其實應該是不會得到任何收穫吧。舉凡世界上最無意義的就是認定自己是弱者，而把所有責任轉嫁給別人的想法。還有一個是嫉妒，嫉妒實在是毫無意義的東西。

雖然今天我站在這個位置上，還是擔心自己做為住在日本已長達22年之久、以東京為中心、在大學與學界生存下來的一個中國人，是否能從過去不幸的相遇，而不得不體驗或者被灌輸的「偏見」中真正獲得自由。所以坦白說，我這22年來其實一直在與自己抗爭。這也可以說是我們被統治者的內部問題。

那麼，日本人的情況是怎麼樣的？所謂不幸的相遇是不管怎樣——比如說是自己去了台灣，或者被派去台灣的台灣關係者，與他們個人主觀的意圖，或私人的善意無關，從當時的體制來講，其結果是以統治者或說是被編進統治者體制的形式與我們接

觸，因此，他們之中的絕大部分無論如何也要養成統治者意識或優越感。

中日戰爭的過程則更為不幸，人人均被捲進軍國主義的風潮中，在「瘋狂」的時代潮流漩渦裡，與中國、中國人發生關係。這與我們生在殖民地的人一樣，絕不是正常的關係。我想這是存在於日本人方面的問題。

日本人方面的問題還有一個，這是我22年間體會出來的。這和我預定要談的下一個主題有關。一般來說，日本人對事物的思考方式中有一個像模式般的東西顯現出來。這就是說，因為有過殖民地統治，或者是侵略過，站在加害者的一邊只說對不起而低下頭來的一些人，僅停留於此而不把事情放在相互關係中斟酌。就是說僅僅是變為卑屈、停止思考、放棄理智的行為，像是採取躲避姿態而一動也不動的一些人。

相對方的被害者這邊，不僅是與中國人、東南亞來的新聞記者、留學生諸君交談時，他們會說，日本人經常表示歉意說做了對不起的事，但究竟是真心還是假意？就像這樣，一直到現在日本人在亞洲被以懷疑的眼光看待的情況還很多，這不能不說是非常不幸的。

那麼，讓我們想想看為什麼會被懷疑。可能是日本人的思考方式之中，例如洛克希德飛機公司行賄事件爆發時，或者是圍繞著三木內閣的問題，大平〔正芳〕外相提出了「辦個祓禊，重新出發」的建議。我便問了日本學生與朋友對這個提議的看法。雖然是「這種事情我不管」這種回答占壓倒性多數，其實在殖民地時代我也被命令做了「祓禊」，所以能夠明白大平先生在說什

麼。大平先生大概是想要祓除不祥，重新出發而講的。我覺得在日本的情況說起來好像是有個共通的公理：只要道歉就可被原諒。

　　在日本對於道歉、或對責任的承擔方式方面，好像和外國頗有差異，外國的範圍很大，就算把它縮小來說，和我們的感覺也不大一樣。長期生活在東京，我們也可能有些日本化，至於孩子們也不會講日語以外的語言。我們夫婦也常常不由自主地對孩子們說：「你快道歉吧！」仔細回想起來，在我孩提時代的生活中，或是與母親之間的日常會話中，是沒有這種說法的。這個先不談。道歉之後，如果被道歉的一方不肯寬恕，就會處於不利的境地。會被說成這小子真不乾脆，或者用很糟糕的話來說是像爛女人一樣的——很抱歉，這是歧視用語——這樣的表現。不管怎樣只要道歉就行，不要囉嗦，默默等待時間過去，好像有這樣的規則存在。

　　這種對事物的想法或擔負責任的方式，類似於「祓禊」的構思等作法，我認為好像在日本以外是找不到的。是好是壞暫且不管，我覺得這是很有趣的事。是否可以類推如下，我有些沒把握。我曾經調查過，比如日本的黑道世界裡，有斷指的事。我關心的是，如果被斷過一次手指，以後會變得怎樣呢？聽說再犯再斷，有斷到連指根都不見的例子，真是讓我大為驚訝。然後我又調查了中國黑道，問了在東京的大前輩後，得到的回答是：「戴君，別講傻話了，中國的黑道如果發生這樣的事情，不是被殺就是逃跑，然後回來殺對方，絕不會有道了歉，斷指就完事的道理。」這著實令我吃驚，我雖然感到這是很重要的事情，但沒有

做出評論。因為不大了解，所以直到現在還沒有勇氣將其寫成文章。在這裡我是突然想起這一點的，敬請原諒。然而這種程度的生活感知如不具備的話，可能就不能理解日本人的行動方式與沉默的文化，我最近如此感覺。我甚至想到，日語裡的「卑怯」一詞的涵義，其實也和我們是不一樣的。對這種日本特有的對事物的想法，如果亞洲方面不理解、沒有認識的話，就會引起如上所說的嘴上道歉是否為真心的懷疑眼神。有關這一點的具體內容留待後面再談。總之在此我要講的是，類似於互相持濾光器看對方的關係，至少在日本與亞洲之間是存在的。我也想盡可能努力拿掉這個濾光器，但或許有時難免不能完全拿掉。以此為前提，今日我要把我的所感、所想向諸位報告。

料理是文化

就先從吃的東西開始吧。談起吃，是否可說日本人目前的飲食生活，正經歷著有史以來最急遽的變化。日本的情況是，直接提到食物或金錢常會被認為是卑賤、沒教養的，大家對這一點應該會同意。

我們中國人日常的問候，首先是從「吃過飯了嗎？」開始的。當然中文也在變，受日語的影響，或者受由歐洲近代衍生出來的種種新生活型態的影響而有變化。同時日語也有受中國影響而變化的時期。在此要確認的是語言除了會從自身內部產生變化，也會在相互的接觸與交流之中發生變化。可是在這裡我要引一個例子：中文做為我們的母語而存在的時候，即未受歐洲近代

洗禮的時期，在日常生活中，大體在相見的時候便會問「吃過飯了嗎？」現在中文講的「早安」、「早啊」與「晚安」，都是從英語的good morning與日語的おはようございます等來的。在我們固有的生活感覺之中，本來就沒有那種「母語」，只有「吃過飯了嗎？」「要去哪裡？」之類的。

還有在中國人的知識分子之中有令人感到非常困擾的事。我在日本的生活中也難免有這種困擾，即有關薪水與金錢的事情，在中國人之間可以不太有顧慮地談論。但在日本人的場合是，把關於金錢的事當作話題是不文雅的。因此，故鄉有人來，或美國有友人來訪，被問及薪水時，我近來也漸覺不文雅。是否我在不知不覺中日本化了？去壽司店，因為我沒錢，所以叫「一人份」是最安心的。有一次一位美國友人來，我裝闊請他吃壽司，坐台前的位子〔譯註：可隨興指定，點喜歡的東西吃〕，結果吃了大虧。結帳時12,000日圓的帳單明細也不敢問，好像問這個是不好意思、不妥當似的。講起吃飯我想起來一件事，在中國人的社會，東南亞的所謂華僑的情形也一樣，可以看見比較公開吃飯的情景。好比是在自家的庭院、店家門口騎樓下等，常可遇見一家大小團圓在吃飯的情景。但日本人的情形則完全相反，好像是「躲著」靜靜吃的情形比較多。大概是因為這種風俗的不同，因此中國人習慣於「橫飯」，日本人喜歡「縱飯」吧。關於「橫飯」、「縱飯」容後再提。

日本人的飲食生活也變了。剛到日本的時候，讓我很驚訝的是吃「燒鳥」〔譯註：炭烤雞肉串〕。在這裡把當時我個人的私事拿出來講很不好意思，家兄從學徒出陣已復員，恰好我準備去

美國留學，而在東京留住些時──「哎呀，不要再講了，就留在日本吧！」這麼地聽了二哥的話留下來，不覺已過了22年。當時二哥的家在新橋附近，所以傍晚走在烏森通可看到「燒鳥屋〔譯註：賣烤雞肉串的店〕」。大家其樂融融地在吃喝。我喜歡做運動，所以也非常喜歡那種氣氛。我覺得很好便走了進去，然而哪裡有什麼雞肉串，大家在烤的分明都是豬內臟而已，真是令我感到驚奇。至少根據我在台灣的體驗是，所謂的日本人是絕對不吃內臟的。在這裡我想起隱含著不幸遭遇的另一個側面。總之，以統治者的姿態來統治，對被統治者所喜好的部分，從一開始好像就對其有拒絕反應。因為戰事轉趨於激烈，B-24〔譯註：美軍轟炸機〕飛來，不能上課了，大家被動員去建設飛機場。肚子餓了，因為初中學一、二年級正是成長期，我帶日本人同班同學去了小小的中國飯店，但他們幾乎都不吃。「你怎麼不吃？」「因為媽媽說很髒，所以不能吃。」但是在烏森的路邊攤裡卻根本沒有一串真正的烤雞肉串。

在此有所謂骯髒、乾淨的問題。家父與祖父和日本人之間有種種不幸的相遇。在異常的殖民地統治與被統治的關係裡，也遭受過牢獄之災，當然討厭日本人。雖然討厭但也有尊敬日本人的一面，特別對於日本人的愛乾淨是很佩服的，把日本人用衛生筷、每天在門口撒水等都看成是其潔癖的一部分。本來某個民族愛乾淨與否，不可能是先天的屬性。然而家父對日本人非常憎恨，同時在另一方面幾近於迷信般地認為，日本人的傳統有愛乾淨這一項。我也受其影響一直這樣認為。

然而在我研究後藤新平的過程中，才得知他在當衛生局長的

時候，對日本人的生活環境之改善，特別是清潔、衛生思想的普及曾費盡苦心，才知道日本人的愛乾淨也只是最近的事。我也才了解到所謂髒、臭的看法是伴隨著殖民地統治而產生的。不僅只有日本人這樣，把被統治方的人看成髒和臭是共通的。並不僅止於吃蒜而已。日本人說吃蒜的中國人、韓國人臭這也是實際情況，因肉食與香辣調味料是脫不了關係的。歐美人的體臭導致對香水的需求，但體臭較淡的日本女性嚮往法國香水也很有趣。日本人喜歡生吃，因而那方式也極單純而簡樸。在此意義上，世界上以民族的規模來說，恐怕日本人舌頭的味覺，對於食物原味的識別能力當屬世界之最。很少把材料混合起來進行烹調的，品嘗單品的味道、生吃的情況很多。

　　容我偏離主題再談一些。從被燒鳥屋嚇一跳的新橋走到嚮往的銀座，有叫作純喫茶的店。現在還有純喫茶的招牌，不純喫茶的招牌可是沒有（笑）。不過昭和30年（1955）之時有副業沙龍〔譯註：似可比喻為現在的色情場所，有非專業女郎陪坐喝酒〕。因為「純」應該沒問題，我就放心地進去了。首先端上來的是水。在中國人的生活中是不能喝生水的，得喝茶。在銀座，而且是在這麼瀟灑的店裡不給端茶而給水，這是什麼意思，我心裡直生氣。結果我叫了咖啡。奇怪的是，漸漸地我也領會到東京的水很好喝。最近的水變難喝了，那時候水的味道可真好。對大學生活也慢慢地習慣了，便有聯歡會、忘年會〔譯註：送舊年宴會，即尾牙〕等邀約。同學對中華料理有興趣，之後又出現對中華料理讚不絕口的日本友人。自己國家的菜餚受到讚美當然是很高興的，但因學社會科學的關係，不願輕易受捧就起舞，我便故

弄玄虛，講解了一席中華料理形成史論。你們嘴裡愛掛著中華料理不放，那確實便宜好吃，分量又多，可吃得飽飽的。以同樣金額開聯歡會，比起在壽司店或日本料理店搞，中華料理要合算得多。但是中華料理之所以演進到今日的模樣，有其相當嚴峻的歷史背景，這一點希望大家能理解。有這些經過，因此直到現在聯歡會、忘年會或新年會〔譯註：迎新年宴會，即喝春酒〕常被推做幹事，我半開玩笑地說「這是戴君的文化侵略」。

可是中國人也並非不喜歡生的食物，而是有吃不得生食的歷史。請大家想像就可理解，黃河、長江或是廣東的珠江等──可惜我還未去過中國大陸，這只是從文獻上或做為中國人之間的某種了解事項來談的──這些大河全是淡水河。所以如果在中國發生傳染病，會傳染得很快。日本是由四個島嶼構成的，周圍是天然的淨化槽，大概很多日本人都沒有意識到這一點。由於有淨化槽（鹽水）的緣故，然後再厲行檢疫的話，傳染病大概僅靠岸邊作戰即可防止。所以生水、生魚片、生魚壽司也可放心地吃。

中國的情形是不管什麼都要加熱，不加熱就會感染傳染病。油炒在某些意義上是騙舌頭，如果再講得明白一點，可能會受到中華料理公會的抗議，但是小間的中華料理店在早上、中午以前做的炒飯，大體上還是不吃為妙，那全是剩飯〔譯註：炒飯用冷飯炒出來較好〕。要提高冷飯的沸點，以油炒，並將之包裹。但如果換個角度來看，腐壞與發酵也只是一紙之隔而已，沒什麼大不了的。但總歸是剩飯，用油炒可以殺菌。因蝗蟲或各種災害而引起饑饉時，包括草根在內各種各樣的東西，中國人都想法子燒來吃，幾近沒有什麼東西可丟棄的。

　　請回想一下，例如田中角榮先生與大平先生等，在中日恢復邦交後去北京的各位大概都會登長城眺望。尼克森（R. M. Nixon）與季辛吉（H. A. Kissinger）也一樣，大體上誰都會特地去登上萬里長城眺望。戰爭時一部分小說中甚至還有把日本男人站在長城上撒尿做為男人的夢來描寫的潮流。這是很不文雅的描寫，我想應該還有記得這種記述的人。誇獎萬里長城為偉大的遺蹟的確讓人感謝，可是試著想想那萬丈黃塵，希望同時也能想起那中國人不得不連樹皮都吃的原因。為什麼會那樣？如果做為中藥是可理解的，但史實卻告訴我們比這更為嚴酷的背景。就拿萬里長城來說，要建構那樣巨大的東西，到底有多麼廣大的自然環境曾遭破壞，這方面幾乎未被當作問題，真是令我難過。隨著那種自然破壞實際上是產生了萬丈黃塵，能維持國都長安做為當時世界的國際都市的農業生產力，是否應該看作是在後來被破壞的。北京當局在1949年以後致力於植林，可說正是期望能恢復植被。

　　中華料理是複合的味道，處於日本料理的對極，幾乎不接納生的，而且是用多種辛香料烹調出來。與用眼睛吃的日本料理的情形不同，中國料理也不是不講究悅眼，但其中心卻還是以味道為主。日本料理可只用材料的一小部分而拋棄其餘的大部分，中國料理則活用所有素材做出菜餚，非常有趣。同樣位於東亞或是漢字文化圈，而且是以米食為中心，卻有如此的不同。

　　所謂的飲食習慣，是由各民族所處的地政學上，或者是居住條件、自然的恩澤等，在利用自己的生活智慧與之相結合的同時，經過長久的歷史而形成的，既不必自卑也毋須美化。

　　還有個有趣的例子。大家到東南亞或在中國受邀參加宴會，時而有烤乳豬上桌。大概一般日本女性都會尖叫，或因自己的客人身分而硬忍著；有時則會碰到有頭有腳的全雞料理。實際上中國人的習慣是整隻端出來請客才能表示誠意和盛情。一般日本人會覺得中國人有點怪異吧，但是就在這一刻，他們忘了日本人自己認為最珍貴的料理是活吃全魚，也忘了如果結婚典禮的鯛魚料理沒有頭會有什麼感覺。你們會去熱海吧，有三木先生別墅的真鶴、湯河原等，我也偶爾會去吃活吃全魚，端出來的魚還會微動才算好。看著魚還在抽動，有一次香港來的中國人教授湊近我的耳朵偷偷地講：「日本人怎麼這樣野蠻啊？」「不！這是對你表示最高的款待，我很少能享受到如此高檔的料理。」我同時加上一句：「你不是在香港請客也端出烤乳豬嗎？」他也把烤乳豬的事情給忘了。

　　所以稍微改變一下看問題的角度即可。日本習慣吃魚，所以不能想像無頭的鯛魚，活生生還在抽動的全魚盛裝在寶船〔譯註：船型的食器〕上才是最高的款待。這種感覺上的差異一般人都會忽略，這在某種意義上真可謂是五十步笑百步。

　　不只是殖民地台灣，舉凡去過包括當時上海在內的中國大陸的日本人，都會說中國人臭，還看中國人用手擤鼻涕，因而貶低嘲笑中國人。當然我也不認為用手擤鼻涕是好的。有趣的是，在菲律賓的紀錄之中，寫了關於日本軍隊野蠻的這種記載。在菲律賓日本是實行軍政，美國是進行殖民地統治，比較之下，美國的軍隊外表上瀟灑，相對的日本軍隊的印象是穿著破爛而且野蠻。很意外的是也有用手擤鼻涕的紀錄，真是令我大為吃驚。我幾乎

沒有看過日本人以手擤鼻涕，或許是農村出身士兵素樸的表現。在殖民地時代，台灣的日本人老師與同班同學等動不動就叫我們為清國奴來侮辱我們，那時最常拿來當例子的就是用手擤鼻涕的事。

　　曾經發生過很有趣的事情。大約是終戰後兩年左右的事，因中國的內戰，國民黨上層的子弟大舉從重慶、南京、上海或天津來到台灣。記得大約是我上高中二年級的時候，殖民地時代的我們大多數在心裡是很討厭日本人的；然而戰後從殖民地統治之下獲得自由後再回過來看，不知不覺中我們已被納進日本人的價值體系之中。日本式的想法、日本式的審美意識與價值觀之類的東西，在殖民地的愚民教育中被植入腦裡，可說還沒有形成自己的座標軸〔譯註：意指判斷的標準〕也絕非過言。特別是高二還太嫩，對於中國也不理解，日本統治對台灣人而言到底意味著什麼也不知道。在很多的場合，不是以理論而是以感覺去反應。班上有國民黨高層的子弟進來，當然彼此間會有不調和的感覺，會發生摩擦與爭論。他們是以重慶來的為主流，所以對日本還存有根深柢固的敵愾心，喜歡貶低日本人。我們這些在台灣土生土長的、內心深處對日本人在殖民地台灣的所作所為儘管還未到十分饒恕的地步，但在他們貶低日本人時，我們還是常常會站在辯護的一邊。因國民黨的失政而引發所謂的二二八暴動事件（1947年）剛過，反國民黨的感情還很濃厚，所以甚至可見即使是不必辯護的事也會為日本人辯護的趨向。

　　批判日本人的典型之一是野蠻。從大陸來的班友舉男人的兜襠布與路邊站著小便為證據。辯護一方的台灣出身的級友們反駁

說：「站在路邊撒尿是野蠻而髒的話，你們不是淨用手擤鼻涕嗎？用手擤鼻涕又算是什麼？」這下可好玩了。我便提議開個辯論大會，設定題目為以手擤鼻涕與路邊撒尿哪個較野蠻。那時候可真淘氣，侃侃諤諤好不熱鬧。本來結論是從一開始就已確定了的。日語裡有句俗語叫「眼屎笑鼻屎」指的就是這個吧，中國話裡也有「狐狸不要笑貓」或「半斤八兩」這種講法。

這只是個例子而已。一個民族對其他民族抱有偏見時，常會舉一現象來涵蓋全體，儘管那現象與自己在做的於本質上沒有什麼不同。從歷史上來看日本人也不是完全不以手擤鼻涕的，站在路邊小便的中國人也不是完全沒有吧。然而更重要的是，從公共衛生的角度講，兩者都是不可以做，卻一時也改不了的事。

正如以上可看出的，民族間的相互理解具有非常困難的一面，同時其實也有認識不夠、理解不足以及誤解的連續面。特別是在異常的狀況，不幸的相互關係下可說問題還很多。

好！再回到飲食方面的話題吧。

中日飲食習慣的比較

我到日本留學，很幸運地在東大農經系遇到東畑精一老師和神谷慶治老師。任何人都愛自誇故鄉事物，你們也是吧，可是我們中國人好像比日本人臉皮厚。一般來說日本人在夥伴中比較會主張自己的意見，對外就很少如此。但是中國人愛自誇，我就因此栽跟斗。上過東畑老師討論方式的研究班課程後，閒談中我說：「日本的西瓜真不像樣，那麼小的西瓜看都沒看過。我們台

灣的西瓜可大了。」東畑老師現在年紀大，圓滑多了，以前是很可怕的，說話也刁：「戴君，瞎說，日本現在的西瓜是抑制栽培的結果，我年輕的時候也很大。」老師說。「嘿！是那樣嗎？」我心想，然後詳細問了究竟。實際情況是隨著日本的經濟成長與資本主義的發展而漸漸走向小家庭化，特別是都市的家庭成員結構變小而單純化。日本人的飲食生活本來就節儉，所以大的西瓜不好賣。冰箱也沒有現在普及，可說大多數家庭都還沒有冰箱。為了擴大西瓜的銷路不得不做抑制栽培，為此曾用了一番苦心，這才是史實。老師又多加了一句：「戴君，沒什麼了不起的，我們的西瓜本來也很大。」（笑）

　　日本料理可說是用眼睛吃的料理，外觀上很美、很藝術。中國菜也會做裝飾，有錢人會用豪華的金銀食器或名貴的陶器。儘管如此，味道所占的分量還是相當高的。如果將中國飯店與日本料亭相較，在食器與料理的裝飾方面料亭遠比中國飯店花心思。常聽說，吃固然重要，但觀賞更重要。從量的方面看也可這麼說。中國人則是認為好吃比好看重要，不好吃是絕對不行的；往往是在料理實在不好吃的情況下才做多餘的裝飾，加東加西的，這好像是中國人的作風。當然日本菜不一定如此，因為裝飾與用眼睛吃所占的分量很大。

　　再說台灣的香蕉——最近由於受到南美與菲律賓產香蕉的擠壓，銷路好像很差——之中有帶斑點的，基本上大多價格便宜。這個講出來對我們這些會問「買一堆多少錢」的窮人不利（笑），其實與價格相反地，這有斑點的台灣香蕉味道最好，在台灣是最受歡迎的。可是日本人喜歡美國吉奇達（Chiquita）品

牌的香蕉外觀，看起來好看，像鐵質不足的大人的臉般的香蕉，那種香蕉既不香味道也不好。可是日本人是以外觀來做決定，不好看、有斑點的香蕉就不好賣。所以斑點香蕉便以一堆多少，擺在折價的角落，我們就高高興興地買回去。

　　這是十七、八年前的事。去靜岡參觀石垣草莓與蔬菜的溫室栽培，碰到溫室裡正在收穫細小不好看的黃瓜。因為先前在西瓜上栽了跟斗，所以這一次我仔細地觀察這些黃瓜有什麼特殊之處。台灣的黃瓜不彎曲，肥肥胖胖的，外觀好看而且大，但是味道不細膩、不大好吃。好玩的是，外觀不好、不漂亮就不買的日本人，為什麼僅限於黃瓜要以抑制栽培，種出彎曲又細小的呢？我不知這到底是怎麼一回事。後來問了才知道「那是賣到壽司店做黃瓜捲的」。想起黃瓜捲脆脆的口感與味道之好，我也點頭領會。如果把那「又醜又小」的黃瓜出口到中國去又會怎樣，可能沒人要買吧。

　　在日本和中國或與東南亞的貿易中，好像已發生了相同的問題。因味覺與生活感覺的不同，對同一種類的食物的看法，不知有民族之間的差異，從而引起爭執的事例也不少。日本方面，即進口方非惡意的請求、要求，很難被理解。據說被認為是在找碴兒，或者說任何地方也沒有這樣的契約內容等而引起糾紛的事情也有，對方不能領會那種感覺。比如，醃茄子的材料茄子、壽司店的嫩薑、需以抑制栽培而成的做黃瓜捲的黃瓜味覺等，這種日本方式是很難向對方說明清楚的。類似這種地點變了商品也發生變化的例子很多。在民族間相互接觸的過程中，彼此都存在無法說明白的事情，所以有必要先卸下個人價值觀而做確認的事項，

我想今後會愈來愈多。

　　接下來所說也與東畑老師有關聯。在殖民地台灣，有位叫磯英吉的大師是研究米的權威。他是北海道大學出身，也是蓬萊米的催生者。因為是殖民地，所以要在日本資本主義的要求下決定台灣的經濟政策與農業政策，在台灣的米生產政策也是如此。本來台灣的米，諸位也知道吧，大概是印度種〔譯註：即在來米〕系統，日本的米是日本種的系統，是有黏性而微甜的。台灣的情形我想中年以上的人都應該知道，是所謂的外來米。磯先生為了種出適合日本的米而在台灣辛苦地做品種改良。其實蓬萊米的育種已在米騷動之前就已完成了。雖已育成，卻不能使之普及，因擔心日本國內的農民因台灣產的米而被迫降低米價。然而米騷動之後政策發生轉變，開始推行蓬萊米的普及。

　　飲食習慣是具有偏見且不易改變。日本人到台灣去，如同剛才所言，因為要在殖民地統治這種異常的關係之中營生，所以就不能客觀地看社會現象，總是免不了帶著有色眼鏡看台灣的種種現象。台灣米飯的煮法、吃法，主食與副食的搭配方法等，與日本國內不同。儘管不同是理所當然之事，卻不被認為是理所當然的而找碴兒。比如內臟是骯髒的相似說詞。又說台灣的在來米不好吃、不香，而蓬萊米是與準內地米（內地指日本）同等，味道還可以。但是台灣人，特別是老人家吃不慣蓬萊米，嫌它又甜又黏所以敬而遠之。菲律賓的某國際水稻研究所也為同樣的問題而煩惱。只為了增加生產量而做出新的品種是解決不了問題的，吃法與味道的關聯都必須考慮。當然，台灣的蓬萊米是為了補充日本米的不足進行品種改良而種出來的。與新潟、秋田等米鄉的米

相比，在味道上可能無法滿足日本人的嗜好。但是好不好吃本來是主觀上的問題，同時是吃法和搭配副食的問題，這個很難被理解。

在這裡我想起木木高太郎，他是推理小說家，本名林髞，同時也是研究條件反射的大師在河童書〔譯註：カッパブック，日本的出版社〕出版的《使腦子變聰明的書》〔《頭のよくなる本》〕一書。如果我沒有記錯的話，他曾在書裡寫道，日本人因吃米，所以愛打瞌睡，腦筋不靈光。他忘記了歷史。在我們東亞人吃著米、創造出偉大的文化與文明的時候，歐洲還在昏暗蒙昧之中。他忽略了史實真令人不解。事實上，再也沒有比米更完美的食品了。米本身無責任，如果有的話，責任也在於吃米的人。不僅破壞了食品的完整，副食的搭配也有問題。

總之日本人認為日本米是最好的。味噌湯與烤魚，還有醬菜就能把肚子吃得飽飽的。還有日之丸便當〔譯註：以飯盒盛飯，中央只擺鹹酸梅的簡便便當〕與捏飯團都很適合。然而這只是在日本人之中的事。我們的東畑老師留學歐洲，有件事讓他感到很驚訝。他發現日本種米的價格低於印度種米，以當時的日本話來講，就是在來種〔譯註：台灣到目前還叫在來米〕比較貴。不只如此，東畑老師去台北帝大講課的時候，台灣的某世家宴請他，他說在那家吃的在來米味道棒極了。若以中國菜與肉類為主的副食搭配的話，反而是在來米比較好吃。當然煮法也要講究。以中國菜為副食做搭配時，日本米既甜又黏，而我的祖父、父母等不大能接受也是實情。

日語在台灣的中文裡落實下來的有便當一詞。現在的中國大

陸是怎樣的情況我不知道，本來中國人是不吃冷食的，所以不是家裡做好送去，就是回家吃中飯。這可說是住處與工作地點之間距離接近的反映吧。像東京的情形，就很難回家吃中飯。然而，隨著學校教育的進展，教育的社會化，或者說在教育的機能漸由家庭被社會替代的過程中，即便在台灣，生活中也出現了攜帶便當的情形。吃涼的便當，用在來米是絕對不行的，因為涼了之後會變硬不好吃。所以我們家採用為了我們這些上學帶便當的人而煮蓬萊米飯，為祖父、父親和其他家庭成員則煮在來米飯的雙重結構煮飯方式。日本米的單位面積收穫量是世界第一，但如果將其原封不動帶到東南亞去的話，不僅僅只是栽培方面，即使是在嗜好、飲食習慣等方面也有問題，所以沒有那麼簡單。

　　這是我在大學研究所當研究生時的經驗。日本人對歐洲事物真是知道得很詳細，對距離這麼近的台灣卻出乎意料地不了解。這事發生在一位比我年紀大些，在圖書館服務之餘，上大學夜間部的研究日本文學的人身上。有一天，他說：「戴先生你怎麼會使用筷子？」又說：「你的家鄉有豆腐嗎？」這真教我驚訝。衛生筷是日本人創造出來的清潔、獨出心裁的好發明，但是最近從節約資源的方面考慮，是好是壞令人感到疑問。各位也看過報紙的報導吧，在日本國內好像已不製造衛生筷了。因勞動力與原材料都缺乏的緣故，已到了得去台灣或印尼尋找供給來源的地步。不如像從前一般，用漆漆得漂漂亮亮的筷子，可隨用隨洗消毒再用，在節約資源方面會更好。至於豆腐，絹濾豆腐〔譯註：細嫩豆腐〕是日本人的發明。然而用豆腐做菜，在中國與日本都一樣有各種各樣的作法，大豆蛋白的利用法也有很多。當被問到「在

你的故鄉有豆腐嗎？」的時候我感到驚訝。近在毗鄰卻有不少相
互不了解的尋常事，此亦算是一例吧。

　　各位如去過東南亞就會知道，除了一流的飯店之外，街上咖
啡店的咖啡一般都是斟得滿滿的。1969年末我在曼谷遇到一位很
認真的日本年輕技術者。記得那時候在泰國已充斥反日情緒，他
頻頻興歎訴苦道：「我不上酒家，也拚命地努力學泰語，不知為
什麼泰國人會討厭我們到這個地步。」談話途中侍者替我們倒了
滿得差點溢出杯的咖啡。他繼續說道：「戴老師，你看，怎麼教
也不行。像這種咖啡的倒法，我再怎麼把技術教給他們也是不
行的，真沒辦法。」他年輕、充滿善意且性急。我說：「稍等
一下，如果你走進日本式酒店，那升〔譯註：約160cc的方型容
器，也是量米的容器〕酒一定會被斟得滿滿的吧。酒黨們的樂趣
不是邊舔鹽邊喝酒嗎？或許這裡的人倒咖啡的方法也一樣，要倒
滿是他們的規矩也說不定。你不要那麼性急，改變一下看法可能
會比較好。」我婉轉地告誡他。日本人倒咖啡的方法是，如果去
銀座一帶，雖然要價一杯四、五百日圓，有些店卻只倒到杯子的
六分滿；而在泰國則是倒得快溢出來。日本人對溢出在托盤裡的
升酒能舔著鹽樂滋滋地享受，但對溢出在托盤裡的咖啡卻不能接
受，真是有趣。我不是很會喝酒，但很喜歡那日本小酒店的氛
圍。對生活的節奏與氣氛的不同，與其彼此吹毛求疵互相貶低，
不如採取寬容態度，同時努力理解對方才是建設性的，各位認為
如何。

　　下面我也想談一點對酒的喝法。晚上在家的小酌確實不
錯。但想想如果只是讓太太服務那又該是怎麼樣的一種情形呢

（笑）？不過對喝梯酒〔譯註：日本男人在外喝酒時經常有一家挨一家喝下去的習慣〕我還是不能理解，坐下來調戲一下陪酒的女人，又移師到另一家酒店，真是費解。是納稅制度的關係嗎？還有喝醉了躺在月台上的情景也常常遇到，看到那種醜態，有位認真的老師說：「戴君，日本人是如此的不文雅又沒規矩。你們中國是大人〔譯註：具長者風範〕之國，沒有喝醉酒的吧。和你的交往也算相當長時間了，好像沒看過你喝醉酒啊。」「不，老師。您待在北京的時候是怎麼樣的呢？」「中國人還是不喝醉呀。」我接著說：「這樣的解釋如何：老師待在北京時大概是1920至1930年代，正是中國的混亂期。在那樣的狀況下喝醉酒躺在月台，說不定有心臟被挖去當中藥的危險。日本的情形是自明治以來，治安比較好。有那麼多人串酒館，可能可用公務賒帳，口袋裡剩的錢也差不多只有500日圓或200日圓左右，頂多不過是被假裝好心過來照顧的小偷偷了而已，只要不凍死，首先對生命是沒有影響的。有時候車站職員也會照顧。中國則是喝醉酒有心臟被挖去的可能性，治安不好不知會發生什麼，不過現在的中國應該沒有這個顧忌了。」

　　也可想想另一面。酒喝多了，人總會多言。貫穿戰前與戰爭中，治安維持法等並不是沒有問題。然而多言或「禍從口出」的涵義及其所帶來的結果，中國和日本相比是完全不同的。就是惡法，日本終究是法治國家。中國可說原來是處於根本沒有「法」的狀況之下，所以，應該說是不能喝到醉。這是我的第二種解釋。總之，因為是大人之國所以不喝醉，我不希望這樣馬上從民族性的層次來把握問題。即使中國人一般不喝到爛醉，也只不過

是在漫長歷史中形成的、所謂生活的智慧而已，只能這樣解釋吧。

橫飯、縱飯

我想再提出第三個看法。先前提到的「橫飯」、「縱飯」論，實際上是作家堀田善衛先生的理論，是堀田善衛先生、前神奈川知事長洲〔一二〕先生與我三人座談的時候聽他說的。這確是一個很妙的比喻，請讓我唸一下：

> 總之日本人是非常不善於異民族交涉的人種。例如在新加坡，有馬來人、中國人、泰國人、越南人與菲律賓人，五人聚在一起談話，我想完全可以對話。但是如果在此加入一個日本人，那麼對話就不成了，場面會變冷清。日本駐在外國的商社社員們，現在做爲日本人可說是具代表性的國際人吧，他們的飯局有「縱飯」與「橫飯」。「橫飯」是橫文字，亦即與外國人相對坐正式的飯局之意。（笑）那麼「縱飯」就是日本人同事，邊喝著酒邊吵吵嚷嚷不拘束的飯局。連應該是已習慣於外國人的商社社員們都感到「橫飯」是負擔。（請參照《討論日本之中的亞洲，平凡社，頁47》）〔參見《全集》20‧〈自分與「他分」〉〕

很有意思吧！可是「橫飯」不只是橫寫文字的問題，是否應加上是以橫的關係來吃飯。這一點包括這次早稻田大學美式足球隊的

問題——因隊員的暴行事件而遭到停止出場比賽與禁閉處分——我感覺非常有趣的是，在日本的場合，某種意義上可說是倫理觀、道義上的責任，或社會制裁很嚴格的社會。美中不足的是容易被饒恕且善忘，我認為它也是有好的一面，然而，往往由於責任的所在不明確而不能擔負責任，甚至於還有讓承擔不起責任的人也擔負責任的傾向。也有試圖透過由夥伴全體擔負責任以謀求模糊責任焦點的傾向。喝酒的方式也是，因為是夥伴，所以可以盡情地喝到爛醉，被允許不拘虛禮。因此在堀田先生所謂的「縱飯」範圍內是被容許的，所以沒有負擔與拘束。中國人大體上是「橫飯」型，只限於夥伴間的飯局本來就沒有多少意義，盡量擴展橫的關係，或擴展相互的交友關係，為了這個目的而特別請客吃飯喝酒，所以始終要在個人的責任之內。因此，在這種場合如果喝醉了，大體上會失去信用。我們的習慣中是沒有不拘虛禮的。還有中國人會吃，吃油多的東西邊吃邊喝可能也是不易喝醉的原因。日本在酒席上發生的摩擦大概都可不問罪，所以如果打喝醉酒的人，打的一方理虧，錯不在醉酒的一方。這是聽來的，所以不知真偽。日、中之間對事物的思考方式上是有出入的。

　　然而，由於此差異即說日本人不行是不對的。「縱飯」在被活用於強化組織的發展，也有發揮其正面作用之一面，這正是我們中國人所關注的。與日本人的聚會中常有令人困惑之事。日本人去東南亞或台灣多半受到歡迎。如果帶著某人的介紹信去的話，一般都會被請去赴宴。說實在的，大家一同歡迎，不必花多少費用，因是一群人對個人，再者食物也不像日本一樣貴。以中國人來講，很高興認識新朋友，常請友人到家裡。吃飯是很公開

的，開放的飯局也很一般，受宴請的日本人不知不覺中變得心情舒暢，便隨口說道：「非常感激諸位的盛情款待，你們來東京時請一定相告。」那麼，當他們真的來了的時候呢？「我日語不行，戴先生幫忙打個電話吧。」他們對我說，然而佯稱不在的、藉口忙碌而躲開不見的，各種各樣的人都有。如果本人接電話還好說話，如果不是，我也不知該如何是好，是否真的不在也不得而知，但似乎佯稱不在的例子在我的經驗中還不少。會很巧地在人家要回去的時間趕來送行，「唉，正好去出差，很抱歉」，就這麼推諉過去了。

我不願意懷疑人家，但一般的日本上班族要回請是不容易的，除非能用公司業務的名義，不然可說是很困難。我問了很要好的日本朋友：「為什麼不請到家裡去呢？」「也不是不想，可家裡很窄，內人又不會做菜……」很多人如此回答。其實，只要把客人推給妻子，她就漸漸會做菜了，他不懂這個道理。我進一步說：「如果你真心那樣說，我覺得是錯誤的。因為你沒有給妻子刺激。料理這種東西，不是用學的，而是要做的。你請客人來，妻子就會拚命用腦筋想辦法。」所以在這個意義上來說，國稅局如廢止交際費稅制的優惠政策，或許日本太太的廚藝會提高很多，我私下如此揣度著。不想請客人到家裡來的另一個理由──家裡窄小──也是很難理解的，至少對於外國人而言是如此。總之雖然不是惡意，但是大家好像都在無意識中為自己辯解。基本上對飲食的看法、感覺的不同確實存在，我想終究是有其原因的。這樣說聽起來好像有點不太好，照日本人的習慣是很難得請人到家裡的，如果受邀請到家裡，可算是破例的待遇了。

　　相反的，對好客的中國人邀你到家裡吃飯也不必太誇張地感謝，包括我在內，漸漸日本化了，我也想盡量不請朋友到家裡來，但這對我們來說是很稀鬆平常的事。想讓朋友與妻子認識，在家裡請客也不必花很多錢。日本人認為串酒館是非常盡心意地在請客，但被請的一方，像我就感到非常痛苦，但是也不能明說，因為會掃興。我不能使用業務的交際費用支出開銷，所以無法回禮，拚命寫稿也賺不了多少錢。因此，只好說「到我家吃飯吧」。我連哄帶騙，有時也拍妻子馬屁，使得她的廚藝得以提升後，現在我是趾高氣揚地對她說：「不是妳能力強，是我經常給妳鍛鍊的機會，所以妳現在的菜才會做得這麼好吃。」這不是自誇，我覺得在某種程度上可說是真理。

　　所以說儘管所謂的住家窄小、做的菜不好吃等是常用來辯白的藉口，但其實並非如此，而是日本人對飲食的看法是樸素安靜：簡單地吃，拚命地工作。而法國人與中國人在吃的方面大體上都很講究，在飲食方面，無論是從做的量、吃的量、花費的時間來看都多得多。還有不請客人到家裡的理由中，是否還有以下尚未被意識到的緣由呢？一般而言日本人都很勤勞，好像「月月火水木金金」〔譯註：在日本戰時要後方把星期六和星期日都當平日來奮鬥的口號，也被用在歌詞上，即把一個星期分成星期一、星期一、星期二、星期三、星期四、星期五、星期五〕到現在似還存在著。日本人有舉行忘年會與新年會，把工作以一年為單位進行分段的好習慣，但是平常每天都是連續不斷地加班努力，晚上還要交際，所以只有星期天才是休息日。中年以上的賢妻，要等丈夫回到家以後才睡覺是以往一貫的美德。疲倦的不只

是丈夫，妻子也跟著疲倦，所以也就不會邀請客人到家開宴會了吧，最近我想到了這一點。結果是生活節奏的不同，也限制了社交的方式。美國人喜歡舉行家宴，也可解釋為用以填補美國人的生活節奏、社會生活中與親戚間交往極少這個缺陷的一面而盛行起來。還有日本人的胃，自明治以來小了很多，或是有意識地使之變小，省下來的部分存積起來，再去銀行儲蓄或透過郵儲等方式轉化為國家規模的流動資金，貢獻於日本的經濟發展與成長的，是否也可這樣想呢？

　　來日本後，對飲食的另一個衝擊事件是同班同學到近午時才來學校，以吃一屜蘸汁蕎麥麵，或甜麵包與一瓶牛奶當午餐，過了一會兒，玩一下投接球，傍晚吃一碗肉麵或炸蝦麵之後再看書。剛開始我誤以為日本連東大的學生也這麼不用功，我不知道其實他們在家裡是從半夜啃書到天亮的。我被東畑教授說過：「戴君，你既不戴眼鏡又沒有得肺結核病，你一定是最懶、最不用功的吧。」誠如老師所說，大部分學生不是戴眼鏡就是害肺病。我也仿效他們，但是只靠一個麵包和一瓶牛奶真的撐不下去，兩個鐘頭就不行了。那樣的生活節奏在不知不覺中變成一種社會的規範似的。在台灣時，我有另一種生活節奏，所以感到肚子很餓。吃日本式沒有油分的飲食馬上就餓。我開始常在東大地下食堂吃28日圓的麥飯，還得再加飯。可是慢慢地經濟成長上軌道後，就有人反對吃麥飯了。我曾主張反對廢止麥飯，但它最後還是被廢止了。我覺得麥飯很好，還有麵包飯，真是令人懷念。

　　總體而言，到昭和30年代為止，日本人的飲食生活或對飲食的想法與實際情況，一般都是如我現在所講的情形。雖然我形容

的或許有些誇大，可是日本人的胃好像漸漸變成「偉大的胃」。
這不一定適合一般的日本人，但是可以看到過去的節儉美德慢慢
地變成極浪費型。所謂「偉大的胃」到底意味著什麼，在這裡我
要稍微談談。日本在接納歐洲的近代過程中，飲食方面的胃在縮
小，但對文化事業、接納實現近代化的手段等方面的容量卻有意
識地擴大，可說極盡貪婪。有關模仿與創作方面留待後述。在飲
食生活方面，這四、五年間我覺得起了很大的變化。在現象上
看，一天要攝取多少熱量、卡路里中油脂部分占多少、澱粉質如
何、洋酒與日本酒消費的比例變化如何、辛香料的銷售大幅度成
長，這些統計比較簡單易懂。

　　再進一步分析，我發現日本走上以非武裝中立的和平國家為
目標的戰後體制，在經濟上開始變得富裕的時候，亦即可使用的
收入增加的過程中，對於飲食的偏見，或在異常的關係中產生的
濾光器，正漸漸地被自動地拿掉。這與比較不受偏見束縛的年輕
世代已經成長也有關係，有一股要將全世界的烹調法引進之勢。
這是非常大的變化。就是在如果有錢的這個前提之下，在東京你
可吃到任何一國的料理，真是令人驚奇。然而非常遺憾的是，日
本人對韓國人的偏見，老實說還很深。過去以匿名稱呼的「荷爾
蒙料理」＊，現在已堂堂的用朝鮮料理或韓國料理的稱呼呈現盛
況。我對此感到些許的欣慰，但願從接納料理開始也能漸漸地拋
棄偏見。而且此偉大的胃，正慢慢擴展到飲食生活以外的領域。
下面接著要講的，例如和服與西洋裝束的衣著問題、居住問題、

＊ 即動物內臟料理。

文化問題，與此相關聯的我期待能連結到真正的國際化。

　　所以烤全乳豬vs.活吃全魚，動物內臟料理vs.鰻魚內臟清湯，如果在此對比之中來看問題的話，就可看出彼此均是無可厚非的，只不過是對自然恩惠的享受方法不同而已。同時，不論是拒絕還是接納，任何一方都應透過人類共同的著眼點與價值觀做取捨比較好。在不正常的民族關係之下，本來很清晰的東西會因視線模糊而看不到。因此，這種不幸的關係應該排除，絕不能再發生。我認為日本人在飲食生活上也是貪婪、富於好奇心、冒險心的民族，很積極、很起勁地吸收外面的東西與新的事物。與其相比，我們中國人是極保守的。受了日本人50年的殖民統治，留存在台灣的日本式東西，也只有壽司、天婦羅、味噌湯、榻榻米等寥寥無幾。戰爭是絕對不能再發生的，然而戰爭卻為我們留下任何人在主觀上均未曾有所期待的結果，在日本的中華料理，以及在台灣殘留的日本式食物便是一例。美國方面，如果沒有聯合國軍隊占領日本，在美國就不會有那麼多的天婦羅店、壽喜燒、壽司店的普及。沒有戰爭與GHQ（盟軍總司令部，General Headquarters）的占領日本，也許會以別的形式，由日本的高度經濟成長與貿易的伸展而擴大接觸面，可能使日本料理慢慢地普及，GHQ的占領與美國士兵帶回去的日本體驗，在某種意義上是不幸中的產物之一，卻也可看成是正面的產物。

　　還有中華料理，我開玩笑說是文化「侵略」，因為現在有日本蕎麥麵店兼賣中華麵的狀況出現。日本人曾那樣看不起中國人，以清國奴的稱呼加以羞辱，並認為是骯髒的，在那異常的關係變得淡薄的過程中，今天的東京、日本各地均可看到中華料理

的普及。戰爭的確是一段異常又充滿遺憾的關係，但這不幸接觸的另一個結果之一部分中，有中華料理的普及，關於這一點是必須確認的。如果沒有日本人的中國體驗，中華料理或許就不會滲透得如此快。在這一點上我們不幸的相遇、不愉快的過去的結果，也有在料理方面積極持續地交流，也算是不幸中的大幸吧。

日本人在富於進取性的同時，非常會保存舊的東西。托其福可遇見在中國早已不見的文物、風俗習慣還在日本存留著。其中之一就是屠蘇。1957年，來日本第二個新年，在日本人老師與朋友家喝到屠蘇酒之前，我不知道其物。到那時為止，提起屠蘇只是在家裡過年貼在門上的紅紙寫的吉祥對聯上才能看到這兩個字，例如：「爆竹聲中一歲除，春風送暖入屠蘇。千門萬戶曈曈日，總把新桃換舊符。」又在杜甫的詩：「願隨金騕裹，走置錦屠蘇。」或蘇東坡的詩：「但把窮愁博長健，不辭最後醉屠蘇。」等詩文中讀到而已。如從前《荊楚歲時記》中記載的，中國也在春節有喝屠蘇酒的習慣，而現在卻消失了。屠蘇酒有兩個功能，一是做為中藥，一是驅邪。不能想像日本人對屠蘇酒藥效的期待，為什麼屠蘇留存在日本，在中國卻消失了呢？我也不知道，但這可是一個很有趣的課題。在日本，後藤新平也承擔了一部分任務，割捨皇漢醫藥而一邊倒向西洋醫學。排除做為儒者的中醫，是日本近代醫學的發展。本來應排除的是已淪為腐儒的皇漢醫即所謂的漢方醫〔譯註：中醫在日本的稱呼〕其人而已，卻憎其人而波及其物，把傳統醫學也一併丟棄，完全是愚蠢透頂的事。現在中醫卻很繁榮。重新評估中醫、中藥是好事，但過分迷信中醫實際上也是危險的。不能說既然西醫不行，就是中醫好，

而應進一步以科學為根據進行選擇。

看中國近代以降的醫學發展，與日本是完全不同的。因為有厚實的歷史與傳統使然，一般都對中藥的有效性一直抱著信心，包括留學歐美的學生也是這樣。中醫不曾被拋棄過。在中國對中醫進行重新檢討與評估的同時，把其不符合實際以及形式化的部分淘汰掉。與此相平行的同時也在引進西醫，新中國好像更積極地嘗試著中西醫的結合，以期將雙方取長補短地進行利用。話講得有點偏了。總之，割捨了傳統醫學的日本卻留存了屠蘇，而期望中醫的保存、再生與新生的中國人，卻讓屠蘇變成傳說中的事物。這到底是為什麼，我也很想請問各位，這才是我所要講的重點。

這一奇妙的對比，足以將文化交流或文化傳播的一個結果、一個側面的實際情況提示給我們。可以說它告訴我們僅以民族的某一側面、行動方式的某一局面來談該民族的性格是危險的，做一刀兩斷的指摘又是如何地冒昧。

這暫且不說，日本人的「胃」不只限於在接下來要講的文化等各個側面，連裝進食物的胃也由過去的節儉型或者說簡單樸素型，以非常快的速度走向國際化而發生變化。如果我所謂的飲食生活或烹調本身是文化的一部分的這個想法能被同意，這個傾向如果持續下去的話，就不必擔心日本人不能國際化而變成世界的孤兒。但如果只是好吃，吃了就結束的話，只會留下排泄物而已，不會化成血肉與促進國際化。我期望要抱持著把烹調提升到文化的層次、國際交流的層面來考慮的姿態。

最後，我想稍稍提及主婦的中日比較。22年的東京生活，差

不多都是與日本人為鄰來學習的。我的經驗是日本的家庭主婦不太花時間做菜，但在掃除、整理、整頓上花更多的時間。整理整頓做過了頭，就有隨便扔掉東西的毛病。看到她們每天在門口打水、擦地板，發現她們在料理上不能多花時間是有理由的。學童由學校供給飲食，老公在小酒館喝酒，或去打麻將不在家，也讓其提不起勁在料理上花時間吧。即使那樣，常常叫外賣也令我驚訝。使用榻榻米、壁櫥的生活，培養出能把窄小的房子進行有效率並且很整潔地加以利用的生活智慧，或許可說是傳統培育出來的吧。相形之下，中國主婦的整理、整頓、掃除方面是差了些。一般而言，中國的家庭主婦在料理上多花時間，掃除、整理、整頓就表現得稍差一點。今天先講到此。（拍手）

比較生活感覺、習慣

　　居住日本長達22年，與日本人之間的交往，不但時間長，頻率也高，所以發現相互間的誤解以及認識不足的事情也不少。例如我常遇到一開始即認定中國菜全是油膩的日本人。不言可喻，這當然是誤解。相反地，敝國的人也以為日本料理除了天婦羅、壽喜燒、生魚片之外就是家庭的炭烤魚而已，這也是太傲慢且冒昧的看法。如果能仔細觀察，不管中國料理或日本料理都有一個配菜的原則。例如日本料理都配有醋拌涼菜或鹹酸梅，若以一個體系來考量，各自都能從中看出頗為均衡的組合。中國料理的全席菜，必定有添加酸味的湯品等，也非全是油膩的。因不吃全席菜，一般日本人不知配菜如何便一直持有誤會。外國人看他國的

事物，最容易犯錯的原因是，只看到一面便認為什麼都懂。這可說是古今東西的通病。

只是中國料理是試圖做出綜合的味道，而日本料理則盡量保持素材的原味，這可說是不同的地方。另一個是在中國料理的場合，餐館做的菜與家裡做的菜差距不大，或可說在技術面的差距不大。可是日本料理的情況是，日本式餐館的料理或高級日本料理店的料理，亦即日本廚師的料理與日本家庭主婦的料理，在技術上的差距感覺是很大的。

把私事在此披露很不好意思，內人在自宅主持一個小小的中國料理研究會。曾有我們家日常不經意地在做、被別人指出來才突然領悟到的事。例如朋友的千金常常驚奇地說，戴家的廚餘太少了。廚房垃圾少的原因，如前所述，有著中國料理形成的過程中本身承載的沉重歷史背景之故，所以不浪費，設法盡量利用全部材料。內人認為理所當然地實行，然而學生是將其與日本料理做比較而感動。再者，中國料理是要做出綜合的味道，所以是在材料的組合中形成味道，因此可避免廚餘的產生。日本料理的特徵是切除多餘的東西，偏重於單獨素材的原味。也是承蒙來參加研究會的友人千金指出，我才開始意識到這一點。

還有一個例子是，一位和我很要好的某大學教授的夫人也參加內人的烹飪研究會，後來那位教授對我說：「讓內人去戴先生家是對的。」我問為什麼，他說：「內人受電視的影響，做菜時好像將材料大小悉數經過秤量。然而到府上向夫人學的完全不是那樣，這在某種意義上可說是革命性的事件。」這讓我發現，一般的主婦好像不認為菜的味道是自己做出來，而且是可自創的，

也許未能了解味道本來就不是被指定的東西吧。因此，菜的味道，可能隨著當天做料理的人的健康狀況而改變。還有天氣、氣溫也可影響味道。在此意義上，各位男士，勸你們最好不要太晚回家，特別是二次宴、三次宴最好避免，如此夫人能夠維持好的健康狀態，可以做出好味道的菜，包你家庭圓滿。（笑）

　　料理的話題就到此為止，接著是住房的話題，然後再進入衣服的話題。我因為是外國人，所以不能利用住宅金融公庫*¹，或住進住宅公團*²的房子。因為我有很多藏書，所以便想方設法為建造自己的房子而努力。在建房子的過程中，我發現日本人喜歡原色木料的美，他們對此美感很敏感並且重視。到那時候為止，我未發現原色木料之美，老實說是不懂。我逕自想像，如果說東照宮〔譯註：奉祀德川家康的神社〕是較多地保存了中國建築美感的建築，日本的住宅建築則好像是在為盡量保存原色木料之美做努力似的。東照宮是明顯與此不同的美。蓋房子造洗澡間的時候，更衣室的地板無論如何都有沾水的問題，我想在上面塗一層油漆，便對木匠說：「不好意思，是否能幫我塗上一層像清漆之類的東西呢？」木匠卻生氣地說：「老師你說什麼？要漆你自己漆吧。」結果，我因窮，怕地板腐爛要重新做可划不來，便自己漆了。後來再仔細想想，覺得滿有意思的。

　　中國的情況是，前面也說過，華北平原，比如建造萬里長城

---

*1 日本戰後面臨住宅嚴重短缺，政府決定設立住宅金融公庫，為準備建造或購買住宅的家庭提供長期低息貸款。

*2 日本於1955年制定頒布《日本住宅公團法》，由政治出資成立住宅公團，在大城市及其周邊地區修建住宅，出售或租賃對象為中等收入者。

的歷史背景，伴隨著這個史實恐怕有過大規模的自然破壞，結果是產生萬丈黃塵，什麼原色木料之美根本顧不上。我的解釋是中國的建築是不能不塗上些什麼的，但這也只是一個解釋的嘗試而已。日本的情況則是四季分明，自然優美，原色木料之美可以維持下來。中國因嚴酷的自然之故，是有不上漆就不行的背景，這點要注意。然而，說起中國建築，北方與南方就有很大的不同。就台灣來講，也有符合其風土的建築。為避免離題太遠，在此回到洗澡的話題吧。

　　中國女留學生來日本後的第一個困難是洗澡──去公眾澡堂時不敢脫衣服。現在這情況很可能已不存在，但從前是洗澡間內有男性搓背工人，櫃台上常有男人坐檯，所以無論如何就是不敢脫，要習慣大概須一兩個月。我是男人所以沒什麼顧忌，有一天內人去洗澡，浴池內漂浮著嬰兒的大便，她嚇壞了。我說：「那才是真實的大眾生活，有經過殺菌不會有問題的，要理解日本這不就是個很好的經驗嗎？」我連哄帶騙地讓內人去。最近內人也變得很喜歡公眾澡堂，但因隨著每年所得水準提升，每個家庭有了洗澡間，公眾澡堂的經營日益困難，漸漸出現歇業的現象，很是可惜。從節約水和能源的意義上而言，令其消失也是滿可惜的。我認為與洗澡相關聯的有日本的被爐〔譯註：取暖用的加熱器〕；與日本的濕度有關係的有日本式的建築、屏風以及糊紙的木拉窗等存在。現在日本的居住生活，也與其他的生活面相同，發生急遽的變化。在浴池泡暖身體，之後鑽進被爐取暖──我認為是最合理的方式，是日本人的祖先凝聚智慧所存留下來的文化。再者，澡堂也可變成大家共享的社交場所。最近公眾澡堂收

費高，所以有不知到底在家燒洗澡水是否比較便宜的狀況發生，這倒是一個值得考慮的課題。

接著來討論衣服的話題。外國人對日本女性穿著和服的姿態，那種嫻靜的、彬彬有禮的舉止抱有憧憬者為數不少。然而他們也感歎，現在如果不是過新年或去藝伎館，不然就是到那些燈紅酒綠的酒家，已很少能看到了。男性在外的生活也是以西裝為主，回到家才換成和服。在外國人眼裡，日本人很靈巧，有著明確區別衣著的生活。洋裝在工作的場合、各種正式的社會生活中比較方便。然而住宅的情況未改變成以洋式為主，保存榻榻米以席地而坐的生活為主的話，和服的合理性是可貴的，必須將其放在這種組合中來考慮吧。浴衣〔譯註：日本人在夏季穿的單衣〕因其適合夏天的氣候，以及接觸肌膚的感覺，在種種關係中得以存續下來，浴衣與團扇或扇子也是絕配。穿著洋服席地而坐，還真是不方便。

正如前面提過的，榻榻米做為日本殖民地統治在台灣的一個痕跡，與味噌湯、天婦羅、生魚片、壽司等現在還存在於台灣。蓋房子的時候，因和室較貴，我終究還是選擇以洋式房間為主的房屋。之後才發現榻榻米的合理性。以榻榻米與日本式的壁櫥相組合，真有可以把窄小的空間化為具有可供多種目的使用的機能便利性。比如把鋪蓋收進壁櫥，同一個空間便由睡房變成客廳或工作房。洋式房間就不能如此方便，冬天就算鋪地毯，保暖力也差一點。如果有集中供應暖氣的設備那又另當別論。特別是石油危機發生以來燃料費也不貲，從保溫力的層面說，對榻榻米是值得重新評價的吧。

　　從榻榻米我又想起來，因為我是中國人，所以在忘年會或新年會時，辦公的地方或友人，常請我幫忙找中華料理店。這時候大概男性諸君均希望榻榻米的房間，而女性諸君則說：「戴先生，盡可能不要榻榻米」、「坐在椅子上吃比較好」。我起先以為她們怕小腿變粗（笑），然而早已不是在乎小腿的年齡了，那又為什麼呢？頗讓我納悶。後來才曉得另有理由。男性說，不是榻榻米就會感到不自在。榻榻米可以不分席次（或可以隨便改座位，可以靠得很近），或者說坐榻榻米有安定感，像是有什麼不可言說、只可意會的東西存在著似的。女性則是相反地不願意被騷擾，所以會說：「戴先生，最好避免榻榻米。」或許是因被糾纏會感到很窘吧。因為存在對在酒席上發生的事必須忍耐這一個日本規矩，所以女性要事先設防，是否可這樣看我不太了解，我只是想說真有發生過這種事。

　　若能將其與原色木材之美等相互關聯起來，來理解日本人的美學意識，我想某種程度上是否也可以理解日本人呢？以版畫為例，日本人能領會空白之美；中國人之版畫，一般的情況下大概都是被刻得幾乎不留空白。

　　還有前首相池田勇人，據說他常與庭院裡的石頭對話，這種境界是外國人很難理解的，可說是沉默的文化吧。還有田中角榮先生喜歡錦鯉，這可以理解，有顏色斑斕、稀少、價值又昂貴的緣故所以容易理解。據說庭石有非常昂貴的，與那石頭對話，真是有趣。

　　與石頭的對話相關聯，我想談談「對話」的話題。記得這是榮獲諾貝爾獎的江崎〔玲於奈〕先生與司馬遼太郎先生的座

談會上談及的。我在教研究所課程的時候，上研討性授課會
（seminar）時，對日本學生的不大發言感到驚奇。我一直在想
為什麼。讀了江崎先生與司馬先生的座談會報導後我想：「嘿，
這真有意思。」因為我記憶有些模糊可能不正確，我記得其要旨
是：總之日本的情況，大致上說的語言是只有一種，人的臉型與
體態也沒有什麼差異，因此對話的必要性沒那麼迫切，所以不習
慣對話。然而我去鹿兒島演講時，會碰到明顯有歐洲人特色臉孔
的人們，到山口縣附近就可看到像韓國人臉孔的人們。暫且不談
此，整個日本列島有浸泡在溫水中的感覺。可以看到愛奴和琉球
的少數者集團有來自外部無言的、強大的限制其活在匿名性中的
壓力，也是真實的情況。因為在這種狀況下，比較能相互領會之
故，對話就較無必要了，同質社會又加上重視主從輩分的縱向社
會相乘的結果，整個社會互相默認自我主張的不利性，對話的機
會便越顯減少。

　　美國較為特別，中國也是複合民族國家，國土廣而方言多，
且少數民族的存在也極為明顯，若非大聲地議論商量，是解決不
了問題的，所以也就變成會交際、習慣於對話了吧。日本在近代
化的過程中，以江戶方言為中心創造了標準語，現已變成國語為
大家所接受。中國也在國民黨時代，以北京官話為中心制定了國
語、嘗試普及。現在的新中國不叫國語而叫「普通話」，目標
是大體可互通程度的共同語言之普及，好像沒有打算實行對方
言——特別是少數民族的語言——刻意進行抹殺的國語化似的。
我曾直接聽過蔣介石的演講，也曾透過短波收音機聽過毛澤東的
談話，都覺得很難聽懂。日本大致上可說沒有這種狀況發生吧。

社會黨的佐佐木更三先生的日語，好像比我還差，但有其可愛之處我覺得也不錯。（笑）

　　美國的情形是來自歐洲各地的移民，再加上黑人、日裔、中國裔、菲律賓裔，或被叫作Chicano的墨西哥裔等，人數眾多，還有印地安原住民的存在。在那人種的大熔爐中，不大聲發出聲音自我主張是無法生存下去的，這也的確是沒辦法的事。日本的情況是，有對話的必要性較低的根柢在那裡，所以建設性的批評或批判就難以產生，我想的確是這樣的。在互相做批判或批評之前即已醞釀知其所以然的氛圍，心情上便有馬虎了事的場合比較多。但是年輕的世代已明顯地在改變，主張權利、主張自我現在已不是惡，已有瀰漫著不這樣做是損失的風潮之感。

　　我在第二次蓋房子的時候，認為有日本房間讓客人住比較方便，所以設計了一間四疊半的日本房間。然而又碰到另一個問題——沒有鑰匙。在我家住的客人中，外國人比日本人多。其實造日本式房間的目的，本來是想讓客人穿浴衣以嘗試到一點日本氣氛，但是門卻沒有鑰匙。我對建築公司的人說：「想辦法裝個鎖吧。」他們卻回答：「不！老師，日本房間是不裝鎖的。」的確是這樣。最近飯店多了，1950年代去做農村調查，住的大概是日本旅館，沒有鎖，而女傭在澡堂內的服務常常讓我不知如何是好。第一次去調查的時候，我正興致勃勃地觀看那鐵鍋澡盆之時，女傭卻逕自開了洗澡間的門走進來。「喂！喂！等一等」，我急得一邊說一邊慌慌張張地把門關上。為什麼女傭要進來，我那時候完全不知其所以然。孰知她只是要為我擦背，真是可惜，這是小插曲。日本旅館不能上鎖也教我不安。後來慢慢地經過思

考，日本人大體上都是自己人，所以家庭內也只是以紙糊的隔扇做隔間，楣窗也未封閉。這意味著「家」中的秩序非常安定，這樣想便可理解，是不必上鎖的吧。然而，我們這些外人從外面進來，因為不習慣所以感到不安或不自在。這樣的秩序現在也慢慢地崩潰。人與人之間的往來趨於頻仍，都市化的結果使得「村」的秩序正逐漸趨於解體。

在以往的日本社會裡，主張「自我」在某種意義上是禁忌，出人頭地是會受排擠的。埋沒在眾人裡最能保身，既安全，也因而會人和與維持秩序。辛亥革命階段的中國革命家，對日本大眾做為「民草」的謙虛、順從、國民規模的團結感到無限的羨慕。

與此相比，中國的情形又是如何呢？中國中產以上的家庭大多有「室」，當然都有鎖。記得好像岡倉天心在《東洋的理想》〔《東洋の理想》〕中寫到，中國毋寧說與歐洲相近，像是個人主義受重視的社會，在繼承制度上中國是均分繼承。在辛亥革命以前，女性的繼承權未被認可，之後女性也加入均分繼承。日本的情況大致上是家督繼承〔譯註：家長的地位和財產通常由直系血親的嫡長子單獨繼承〕或是么子繼承，繼承習慣的不同，當然會規定並反映出家庭成員的權利和自我主張的狀態。在家的制度下，老人就可採取隱居的型態。中國人的情況是沒有所謂的隱居，家庭開始不和睦就分家，均分財產。這個時候，就會先扣除老人養老應得的生活費與喪葬費用後再均分，或者全部均分後兄弟以輪班制輪流照顧雙親，二者選其一。如果採取後者，就依照輪流，每間隔兩天或三天老人就在兒子之間，輪流接受奉養，還算合理。在一處待得太久容易起摩擦，即使沒被媳婦欺負，也難

免發生不愉快。能維持這種方式的生活，終究需要以「村落」未解體為前提。「村落」如果解體了，人口流入城市加劇的話，奉養雙親的輪班制便無法實行。在這種情況下，一般就得寄錢委託留在村裡的兄弟姊妹照顧雙親。均分財產與家督繼承的不同，衍生出生活面的種種面貌，也產生家族構成員意識的不同。

　　到底哪個好實在一言難盡。只在均分繼承下的中國人與日本人相較，我認為大概可以確實地說，中國人比較會主張自我。接著來談外形與內涵的關係。大概是甲午戰爭以後的事，我認為日本近代的原型正趨於定形的那時起，日本人就在開始尋求「前例」，先把外形或框架造好，才找內容放進去的這種行動方式。追本溯源，可說日本的近代本來就是採納歐洲的近代，即一邊接受一邊模仿，從而造就了自己的近代。

　　誠如周知，中國起先擬向明治維新學習，但是時間和其他各種條件都不允許，除了與西歐對決之外找不到出口，主因是採取對決而非接納，因此想找「前例」，但在很多情況下卻找不到，慌慌張張做了種種嘗試，慢慢地形式與框架才顯露出來，一般都是採取這種方式的。對決遠比接納要消耗更多的精力。儘管那樣，新的中國人卻選擇了對決之路。中蘇對決、人民公社，要建設中國獨自的社會主義的種種嘗試可說就是其例。令之做出如此選擇的根據是什麼？看來也是不能以民族的性格一言以蔽之的問題。

　　有關構想之不同這裡有個有趣的例子。現場一角有個亮著紅燈的「非常口」，我想是因為非正常的時候，而是危險發生時要使用的出口，所以有此一稱。但是中文沒有「非常口」的講法，

而是說「太平門」〔譯註：即安全門、緊急出口〕：從那裡出去就太平，即安全。這樣的語詞、用語之不同到底是從哪裡來的呢？大體上語言是意識的反映，所以沒有什麼理由是很奇怪的。中文叫太平門，即從那裡出去就太平而安全；日語是非常口，從那裡出去，前面到底安全與否不知道，但姑且先出去。有這樣的不同。以上是看到那紅燈臨時想起來而講的一例。

親日易，知日之路險

前面提過，我的祖父、父親都與日本有過不幸的相遇，因此討厭日本人。不過他們卻承認日本人的優點，嚴格地督勵我們兄弟要學日本人的優點。第一個優點清潔已談過。第二個優點是反省。最近的日曆大體是些裸體照或電影明星的相片，迎合年輕人的商品橫行闊步於世。從前的日曆，也就是可以撕下的日曆大多印有醒世警句之類的，其中大部分是漢字，所以我的祖父與父親都看得懂。

簡而言之反省就是對自己的行為能反躬自問而努力學習吧。這個教訓我想應是來自於「修身齊家治國平天下」，本來是中國古籍《大學》的德目。既然是德目，中國人也應該很努力地遵守吧。我想我們的祖先是將其做為一個理念或一個理想的處世法將其提出來的；然而亂世相繼，中國人遂守不住而變得零亂失序。那麼就得從修身開始，各自反省來修身，然後是齊家，如把家整頓好了便可治國，國既治天下就太平，這就是此德目的要旨。修身與齊家較簡單，所謂國應該是過去的遠州〔譯註：舊國名，現

今日本靜岡縣西部〕、長州〔譯註：舊國名，現今日本山口縣西部、北部〕大小的國吧。平天下的天下可以想作是現在的日本列島。總之，其願望就是將個人、家、國、天下放在一條線之上連動起來發揮機能。中國人也應該是做這樣的考量的吧，特別是統治者是這樣期待的。但清末以降的中國人無法做到，不管個人怎麼反省也無法齊家、無法整頓，就是把家整頓好了，國家紛亂如麻，天下還是不能平。

可是明治維新後的日本，好壞另當別論，「修身齊家治國平天下」的德目，我認為實際上是在社會上存在並發揮作用的。不只在精神層面，在物質上也是有保障的。如果認真地做，最後上面就會給予照顧。終身僱用制在某種意義上也可以說是其反映之一。隨著日本經濟的發展，國際競爭趨於激烈，就有終身僱用不好、應引入依能力給予工資制度的聲音，但不能忘記，終身僱用制、企業一家，做為日本股份公司一直以來所採取的作法，有其好的一面也不可忽略。東南亞或台灣反而是因為不能採取此制度而傷腦筋，這也是實情。存在員工的穩定度低、不安定、忠誠度低、工作效率低等種種頭痛的問題。並不是要誇獎日本的官僚社會，連那風評不好、由上級機關指派的人事之舉，換個角度來看，是在促進官僚的新陳代謝，對「人力資源」重新組合後的再運用方面有其肯定的一面。只是那無能而空有頭銜的人物，被上級要求強制接納，以領薪水與退職金為目的，基於行會性仁義的「由天而降的人事」則是不可取的。再者，如果沒有這種「由天而降的人事」，日本官僚社會是否能這樣廉潔，有著相當大的疑問。反對「由天而降的人事」，可同時透過提倡充實年金制度的

形式來議論是否會比較好呢？

　　要考察東南亞的政治腐敗與貪污的結構時，須要以從容的心態面對。部分性急的人，往往將其做為民族性、國民性的問題來把握。對過去的舊中國，也是將政治的腐敗、官僚的貪污做為「支那人」的劣性屬性之一來議論。從新中國之例中可看出，以民族性或國民性來考慮這個問題是多麼沒意義。在沒有展望或沒有確切明天的不安狀況下，人會採取瞬間的行動。稅務官僚也變得在繳入國庫之前，先拚命地中飽私囊，這是一般的情形。大抵上一個國家要衰亡，不是官僚的腐敗透頂，就是在司法界、法律界不公正，不依法論法的時候。在日本的官僚社會裡，從某種意義上可以說，終身僱用制正面的部分仍充分地保留著吧。

　　話歸正題。「修身齊家治國平天下」這一《大學》裡的德目，在中國已空洞化，變得不必要了。但在日本還保存著，只要在這種架構中各自守著自己的「本分」去做，總有辦法做下去，這是明治維新以來成為日本近代的基調在發揮其作用。對於其是與非當然又是另一種層次的問題，應由日本人自己判斷吧。還有將「修身齊家治國平天下」看作是與縱向社會〔譯註：在人際關係重視上下序列的社會，被認為是日本社會結構的特徵〕的邏輯或倫理相互連動而發揮作用，這也是可能的。因此雖說已逐漸變弱，是否應視為此一邏輯直至今日仍在持續地發生影響。

　　例如相撲界就是一例。高見山是夏威夷少數民族出身，本名是潔西・酷豪魯阿（Jesse Kuhaulua）。突然過世的深代惇郎，即在《朝日新聞》撰寫「天聲人語」的深代先生，我與他一起喝酒的時候，有次曾以高見山為話題──「增加外國籍的關取〔譯

註：職業相撲選手〕是很好的事情，如能在最具日本特色的世界，更加推進真正的國際化。可是為什麼潔西非用高見山為名不可，直接用『潔西』不是更帶有國際性，對外不是更好嗎？」我說。深代先生認為很有意思，他說改天要將其寫出來。這個暫且不談，高見山非常有聲望，看起來因他的關係票房收入好像也增加了似的。大概是去年吧，相撲協會擬借限制國籍企圖修正法規。如果堅持相撲為國技，就不要招攬如高見山或韓國的力士〔譯註：相撲選手〕、中國的力士等。現在既然邀來了，卻又擔心日後恐被侵占，而演變成如柔道一樣的狀況，所以試圖修正法規，添加限制國籍之舉，真是有問題。為了商業利益、票房價值利用外國人，之後又不讓人家當理事，正因為有這樣的想法，所以日本人才會被稱以經濟動物來譴責吧。本來外國人是把相撲做為觀賞運動而抱持關心的，但肯像潔西那樣真正加入相撲參賽的外國人應該不會很多。假如說有的話，很多外國人都來搶占相撲協會的位置，那樣的相撲協會所舉辦的相撲，日本人的觀眾到底會不會去看呢？所以這種說法從邏輯上是完全說不通的，可以說這回的法規修正之舉可視為心情上的對應，日本人應有更寬廣的肚量。

　　像這樣經過各種各樣的思考，可見對事物的想法是無法簡單地改變的。大體上說，我們的意識通常是跟不上形勢的。日本的貿易依存度比其他國家高出很多，但內部的國際化卻遲遲得不到進展。不搞清楚這種對事物的想法所依據的是什麼，今後是否會成為問題。如果變成世界的孤兒也能活下去，或有偏要活下去讓你看的決心則又另當別論。

　　就是柔道，也是因有如格辛克（Antonius Geesink）*3的出現，才能盛行於世界，如果柔道僅限於日本人的柔道，應不會有今日的盛況。如果去尋找柔道的根，也不是百分之百日本產的。日本人所附加的部分，使之增加精鍊度的功勞是有目共睹而永垂青史的。無論如何柔道的全部冠軍都非由日本人占據不可的心情，老實說可以理解，但是不可稱讚，相撲也是一樣。

　　在日本的情況，對外來的事物與自己的事物之間會劃上一條非常明確的線。僅以語言為例，便可令人眼花撩亂。有平假名、片假名、漢字以及外來語，而外來語通常是以片假名表示，相當複雜，真可說是了不起，或者說是靈巧而出色。前面講過的醫學也是類似的情形。有西洋醫學、皇漢醫學、漢方，也都能並存得很好，厚生省是否認可當然另當別論。演劇則有新國劇、歌舞劇、新派、新劇，音樂有雅樂、西洋音樂、古典音樂、歌劇等什麼都有。運動也因是歐洲的運動之故，所以被稱作近代運動，近代與否不論，那樣的歐洲系運動，與原有的運動，或者是帶有亞洲性格的運動，實際上是完全地使之共存並共享的。先前講的服裝也是如此，在外面上班時穿西裝，回到家換和服即為一例。

　　如上所談的，應說是很有潔癖，真是巧妙地謀求共存且利用之，然而日本固有的東西將全部丟棄嗎？我想絕非如此，並沒有捨棄。與之相比，中國人又是如何呢？日本人常把中國人看成是現實主義者，這有一部分是對的。中國人在這個意義上說得好聽點是胸襟開闊，能容納一切。日本人的政治家好像也以此為理

---

*3　荷蘭人，於1964年東京奧運會上，獲得柔道項目男子無差別組第一名。

想，既是理想，其實是很不容易做到。

　　前面提到的料理也一樣。中國料理是在綜合的味道中做考量，所以中國引進外來文化的方法，也大抵採將之咀嚼一遍，以融入自己之中再吐出來利用的形式，這是講得好聽點的話。有趣的是，在日本有某某學者研究家或介紹者的存在。諸如黎士曼（David Riesman）研究家、馬克斯・韋伯（Max Weber）、黑格爾（G. W. F. Hegel）、馬克思的研究家等，做為介紹者在學界就能占據重要地位。這是在承認優先順位，把自己與師父之間的關係明確地搞清楚，在某種意義上是好的。換個說法是，做為一個介紹者就可以在社會上有飯吃，可說日本的生產力相當高。中國的情況在我所知的範圍裡沒有那種形式的大師。做為自己學問的糧食的一部分，採納外國老師的理論，但最終的目標是要創造出自己的東西。因此所謂的某某研究家可說幾乎不存在，大概沒有這種說法。在某種意義上或者可說日本的學者比較幸運，用某某研究家的名義，做翻譯或出版幾種書，在社會上即可被承認，可維持生活。我這不是在冷嘲熱諷，而是觀察到這種差異，覺得非常有意思。中國的情況是，無論如何任何東西最後都要把它變成自己的。

　　中國人的作法並非無負面的問題，也會碰到不註明資料的出處而持續抄襲引用，幾世代後，就會碰到完全失去原型的文獻上的操作方式。在談料理的時候也講過，味道終究是要由自己創作出來，操作者也是自己。而範本到底只是範本，在某種意義上中國人只把它當作手段而已。

　　清末以降特別是甲午戰爭以後，日本人中甚至連相當有水準

的學者也一直認為中國人對自然科學沒有天分。徹底推翻這種偏見的，是今日的中國，是英國著名的生化學者李約瑟博士。博士在其巨著《中國之科學與文明》，打破了這個偏見。

另一方面，日本人有把自己看成是模仿民族，還有自嘲為巧於模仿的猴子的傾向。我認為這也是偏見。這是因為在日本存在著與其發揮創造性，還不如把人家的借過來較快也較容易產生利潤的社會結構，而且因存在得過長而出現這樣的情況，並不是日本民族先天欠缺創造性。

我在當研究院生的時候，追尋整理從西元7到17世紀有關中國糖業的歷史資料而撰寫成一本書。〔參見《全集10‧中國甘蔗糖業之發展》〕砂糖的歷史，某種意義上也可說是文化的歷史。本來日本是沒有砂糖的，好像是鑑真和尚第一個把它帶進來的，曾是非常貴重的東西。先是有佛教的交流，自高僧到上層階級，砂糖被當作從中國來的餽贈禮品。所謂的糖業，正如大家所知道的，是橫跨農業部門與工業部門雙方：生產甘蔗的是農業部門，把甘蔗加工製造成砂糖結晶則是工業部門。依時間順序研讀自7到17世紀的農書或本草書，就可發現很有趣的事情。在改朝換代的初期，可發現比較正經或認真的記述，即從中可看到有創見的東西。然而到以日語的說法如昭和元祿或天下太平期生活變得富裕起來之後，記述就流於形式化，散見一些假的、騙人的東西。記得湯恩比（A. J. Toynbee）好像講過「稱心舒服的環境產生不了文化」之語。國家紛亂固然不好，但是缺少刺激，像泡在溫水的情況也不利於文化的創造。

總之，中國人在不知不覺中似乎有把外來的東西融入自己的

東西之中的傳統。在此意義上可認為現在的漢民族，是融合同化周邊諸少數民族而形成的。（現在〔1979年〕中國人口號稱10億人，其中90%餘據說是漢民族）。漢民族是幾個創造古代文明的民族中，一直持續保持生命力、為數不多的民族之一，雖有曲折，不管怎樣非但沒有滅亡，而且到現在還持續維持其活力。那是同化融合周邊的少數民族，也就是說把異質的部分容納進自己內部，以持續產生出自己的活力。我認為此過程就是所謂的漢民族集團持續性、持久力的根源。不少日本人稱讚中國人是「大人」。大人是過分的稱讚，但是中國人對事物的看法、行動上用來衡量的尺度之長應是有其獨特的地方。或許是用語不妥當，中國人對自己的生活方式、文化等持有「異常」自信的人不少這也是事實。這可能是相當於所謂的「中華思想」的根基。

　　我曾與幾位嫁給中國人後再歸國的日本或德國的婦女交談過，她們都是超過50歲的人，舉止都已經是十足的中國婦女，中國話也很流利。她們之中一部分對國民黨，而另一部分對中國共產黨有批評也有說壞話的，但對與政治無關的中國生活方式，所有人都很懷念，料理是當然的，就連布鞋、人際關係的方式都像是懷有無限的鄉愁般。

　　再舉另一個例子吧。如前面所說我們一家人在台灣經歷殖民地統治，祖父的世代則遭受流血的鎮壓，父親的世代則曾遭受警察的暴行。祖父與父親都熟知日本近代武器的優異性，然而對中日戰爭卻相信中國一定會勝利，也預見台灣在不久的將來會從殖民地統治下獲得自由。戰後我問其自信的根據，他們舉出兩個理由：一個是認為中國地廣人多；其二是說因為日本人在中國的暴

行與野蠻的行為。對於第二個理由，是因佃農的兒子被徵召去當軍伕，實地目睹了在廣東的登陸作戰，歸鄉後偷偷講給父親聽的事實為根據的。

我反問他，日本的軍隊、軍備都勝過中國，這怎麼看。父親說那不是太大的問題。元與清最後還不都是消失在中國漢民族的熔爐中嗎？這是中學二年級時候的對話，我有些半信半疑。然而前幾年，我去東南亞各國和華僑朋友見面，特別是因研究上的必要而讀了有名的抗日領袖陳嘉庚的回憶錄《南僑回憶錄》之後，令我感到非常驚訝，並確認了我父親的看法並不單是他一個人的看法。陳先生受日本當局種種不可言喻的狠毒對待，但是他對個人遭受的私怨很少提及，而且在極早時期便預見了日本的敗戰，應說是由切身的經驗而獲得的歷史感覺。在我父親那個世代的中國人，不管身在台灣或南洋，都同樣擁有無可言喻的自信。提到華僑，便想起在外國日裔的一些往事。如巴西的戰勝組與戰敗組〔譯註：圍繞太平洋戰爭預料日本的勝與負，日僑之間起了分歧而為此抗爭〕的悲劇性抗爭該如何看，我也不知道。把日裔與華僑拿來比較，常被提出的問題是，日裔容易被埋沒同化，而華僑卻很難居住地化，果真是這樣嗎？直率地說這個問題我不希望被想得太單純，概論和印象論是有問題的。期待能出現在同一居住國更深入的比較研究。

然而可以提出來的一點是，在本國待人處世的態度，移住國外也還是會顯現出來。所以不認為自我主張為惡的中國人，與盡量不做自我主張為善的日本人，在居住地的處世法不一樣，對外來文化的接受法也迥異，這也反過來會反映在各自的行動方式

吧。血濃於水我想是東亞共通的處世態度。前些時候，好像在《朝日新聞》吧，有一則報導說，韓國一對年輕情侶因同姓結婚遭反對而殉情，中國人自古以來也有同姓不婚的鐵則，與韓國人相近。這一點日本人好像沒有。這是與日本人的姓氏是可變的有關。

　　披露自身的體驗很不好意思。說個小故事。在高二的時候，一直代替母職的姊姊叫我過去，諄諄教誨說，不反對戀愛但有些女生最好不要交往。比如說腳的形狀、臉的樣子等，具體地說出來恐會因蔑視女性受攻擊所以不談。她的訓詞多是經驗談，特別強調同姓「戴」的女性是不行的，不管生於北京還是生於南洋都不可以。實際上不止於同姓，就是宋姓、吳姓也不行。理由很模糊，據說很久以前曾有過繼的關係。而且令我驚訝的是，不只是台灣，就是新加坡也有同樣的說法。

　　1969年我因研究華僑赴新加坡時，訪問戴姓同姓公會時，招牌竟然寫的是戴宋同姓公會。兩者到底有什麼關聯，又被如何流傳下來的，真是令我一頭霧水。或說不知是從吳家或哪裡，嫁到戴家的一個媳婦是非常壞的惡妻，所以敬而遠之的情況也有。這是不可查考的，惡妻是站在自己的立場來看是惡妻，從對方的立場來看戴家是一個很壞的對象也說不定。總之，這可說是難以說清楚的問題。這暫且擱下，日本人中常可看到的堂表兄弟姊妹間的結婚，近親間的通婚，在中國人的情況可說是幾乎沒有。

　　日本人的姓，因為有「苗字帶刀」〔譯註：武士執政時代，日本平民有名無姓，立功平民才可特別被允許稱姓佩刀〕等的歷史淵源，又可以比較簡單地改姓，也常可看到不雅的姓。像這樣

　　並不拘泥於姓氏的日本人，或許應該講是法務省在外國人要歸化日本取得國籍的時候，幾乎都會以取日本式的姓，或應說有非取日本式姓名不可的氛圍或情勢來逼迫申請人，結果是一般的情況下，申請人不得不放棄原來的姓名而改取日本式名字。

　　雖然沒有經過詳細的調查，但據我所聽到的是好像有各種各樣的例子。雖然並沒有非改姓名不可的規定，但聽說有私下的行政指導。不管如何因屬於許可事項，只要有要求改姓名的氛圍，申請方要自主規制也是人之常情。

　　歸化現在已不稀奇，美國的日裔人例子是最適切的。以鷹派著名的語言學者早川〔雪〕教授（加州選出的參議員）、夏威夷州州長有吉〔良一〕等就是，他們兩人都未變更日本名。美國是移民國家，雖有多民族國家的特殊情況，然而在已開發國家之中要求歸化者改姓名，或有這種要求的無言社會性壓力的存在，除了日本之外應該沒有吧。既是主權在民，令之改變做為個人人格外在象徵的名字，我認為是不合情理的，不知如何作想？

　　好像也有連姓名都不願意改即是沒有忠誠心的說法，這才是顛倒是非的想法。如果真的是這樣，那麼卡特政權的布里辛斯基（Zbigniew Brzezinski）、知名的前總統季辛吉、艾森豪（D. D. Eisenhower）中的任何一位都可能成為問題。怎麼講呢，因為從他們每個人的名字來看，都不是美國白人的主流盎格魯撒克遜裔，早川、有吉先生就更不必說了。歸化也並不是要把自己的人格賣給該國，而是對想要歸化的國家難以忘懷，想變成該國的一員參加其社會。絕不是想當該國的奴隸而歸化的，這一點在主權在民的立場上是應該確認的。

　　在舊中國也有問題存在。對周邊國家特別是少數民族，常以加上草字頭、獸字偏旁的漢字，或鳥等動物名為姓稱呼的史實。新中國好像已經開始在改正此錯誤。儘管如此，日本並非從古代就讓「歸化人」〔譯註：指近代以前歸化日本的外國人，已成為專指這些人的專有名詞〕像現代這樣改成日本式姓名的，可以從大阪或北九州常可看到的像是韓國、中國姓名的姓為據。

　　聽起來可能像是反論，在某種意義上可說古代日本人的度量較大，也更富於國際性。是否可以說隨著近代化而高揚的國家主義，產生、培育出對中國、韓國的偏見。那陰影現在還在持續著，把韓國裔的藝人、體育選手等趕進匿名的牢籠裡，至今未被開放似的。這種悲劇與不幸，即使是為了日本戰後民主主義的名譽，以及受到來自國內外對國際化迫切要求的經濟大國日本今後的展望，也有盡早消除的必要。在念研究所的時候，去參觀豐田汽車工廠，為我們嚮導的社員名牌是張本的「張」，我感到困擾不知該如何稱呼他。恐怕應該不是中國人或韓國人。因為是昭和34年的事，按照常識思考也是如此，一流公司等通常是不僱用外國人的。所以我就稱呼他「哈里」〔譯註：張字的日本式訓讀的發音〕桑。然而他說不，我姓「張」，他是歸化人的後裔。他告訴我在堺〔譯註：日本地名，在大阪市南鄰，明朝時做為貿易港曾盛極一時〕有頗多類似的姓名。還有昭和40年前後，在我去擔任客座講師而講學的女子營養短期大學，有一位教德文的鄭教授。他自己說是日本人，另一方面他又說是鄭成功淨琉璃〔譯註：日本演藝的一種〕的國姓爺之一族。我未能問明白，但我想應是義和團事件當時任天津領事的鄭永昌後裔。原來長崎是以唐

通事等為首，歸化為唐人極多的地方。

在國籍未成問題的時代，中國人學者終一生皆用中國名，被立紀念碑紀念的例子也有。東京大學農學部的朱舜水紀念碑就是其中一例。

長崎等地在明末清初積極接納流亡的明末遺臣，創造了燦爛的文化史實。然而在蔑視中國人與中日戰爭之中，變得逐漸把自己隱蔽起來。前面提到的鄭先生兄弟中，好像也有受不了軍部與警察找碴而改姓的。

我夢想著，「國籍」遲早是否會變成如同籍貫一樣的存在呢？本來國籍是伴隨著近代國家的成立而來的，並非與人類歷史俱來的古老東西。尚且地球共同體、人類共同體的意識漸趨明確的話，國籍便會減輕到如同現在的籍貫一般的不那麼重要了。真想從容地再觀察下去。

期待著每個人都能光明正大地以自己的出生為榮，在此基礎上能自由地嘗試著去做人之所應為的一天，能早日出現在世界的每個角落。部分外國人或日本的有心人之中，也有譴責日本人排他性的。我常常想，在講明具有排他性的並非只有日本人的前提下，對於以議會民主主義、高福祉行政為目標的已開發國家日本來說，這樣的情況是否妥當呢？

舉個例子，我想談一下有關以結核預防法的第三十五、三十六條的適用問題做過交涉的經驗。這是昭和30年代的事情，我的同伴之中，有個從台灣來的留學生，雖然考取了東京大學，但身體檢查時被診斷為肺結核。由於帶來的錢不多，十數年前的旅費也不貲，因此開始與大學交涉，和都政府談判。預防法的第三十

五、三十六條並沒有不適用於外國人的規定，但官僚社會如果沒有前例就不願意做。在毫無辦法下，我只好出面去幫他辯明。我從取得留學簽證的手續談起，我們申請簽證時必須提出日本大使館指定醫院的X光照片與健康診斷書，如果他在台灣就帶有結核菌，那就是說台北的日本大使館指定醫院的X光照片有問題。日本駐台機關以此為據給他簽證，所以責任本來就不在他，此其一。

　　第二點是，如果他是在入國之後得到肺結核，他應是被害者。總而言之，結核預防法第三十五、三十六條是適用於改善日本的公眾衛生，亦即是為了撲滅結核的目的。不給他治療而置之不理的話，是想要讓1億的日本人吸入結核菌嗎？我如此逼問道。還提示留學法國索邦（La Sorbome）大學*4的好友罹患肺結核，獲得法當局98%的費用支持住進療養院的實例，終於獲得適用預防法的認可。這個問題至少在東京都已經有了前例之後應可以放心了，但其他地方又會是如何呢？

　　有關這種遲鈍的感覺，並不是說只有日本人是不行的。善意之士非常多，但是此方不提問題對方是不會知道的。但要講過了頭也不行。親日是很容易的，講日本人喜歡聽的、逢迎的話比較容易被接納。日本人一般都是憐愛、照顧弱者，如站在對等的立場，據理力爭是不受歡迎的。不討人喜歡的傢伙是不可以的、招人討厭的，最近這種情況似乎好些了，像我就是典型不可愛的外國人。

---

*4 目前為巴黎大學之一部分，即巴黎第四大學。

日本人與亞洲：承認有「他分」的世界

　　現在《朝日新聞》有題為「日本與我」的連載報導，請大家注意看看。亞洲系的人只會出現幾個，占據在日外國人最大部分的韓國人大概也不會被採訪吧。出版也是如此，與亞洲有關的書賣得不好。當然亞洲人的日本研究時日尚淺，品質也有待今後的努力，但是理由並不僅止於此才是其根源的問題。大抵如要聽取意見的話，總是首先以歐美系、白人為中心。我們留學生的集會也是如此，臉型與日本人相似、日語流利的亞洲系留學生不太可能成為注目的對象，我就常被反問會不會說中文而感到不知所措。總而言之，日語太好是不利的，實際上我的日語過好，總得不到女性的青睞，對方似乎有提防受騙、著魔的感覺，真是吃了大虧（笑）。

　　並不是意見、談話的內容等有問題。報紙或電視，簡而言之，要製作照片或登出照片時，與日本人相似的臉是沒有商品價值的吧，不能當裝飾品的則不行。也不是說非洲的黑人不好，而是不知為何只把這些黑人帶去拍照，或選擇白人。我不是在這裡吐苦水，是對於今後日本在考慮與亞洲應有的關係時，該與亞洲人如何交往這一點，提出些許我的諍言而已。

　　在進入結語之前，希望大家留意1885年（明治18年）。這一年是我非常感興趣的一年，我認為要思考日本與亞洲的關係時，這是非常重要的一年。這一年正是福澤諭吉發表〈脫亞論〉之年，也是樽井藤吉寫《大東合邦論》、大井憲太郎等自由黨大阪事件被揭發的一年。為了慎重起見補充一下，樽井的《大東合邦

論》是寫於1885年沒錯，但因同年11月的大阪事件受牽連入獄，草稿丟失了。因此五年後的1890年，即明治23年又重新以漢文撰寫發表。

我最近發現這脫亞與興亞的兩本名著撰寫於同一年，然後注意到典型的對朝鮮的「插手」事件也發生在同一年而重新受到啟發。福澤諭吉的〈脫亞論〉在戰後的評價很不好，似乎不是其內容而是「脫亞」之名不好。或許有人會認為我性情乖僻，我完全不以為福澤的〈脫亞論〉不好。福澤的論點是，我也算是其中之一，總之，中國人、韓國人，都是些怎麼也不行的傢伙，和這些人打招呼也沒用。非把與這些傢伙在文化上、精神上的關係切斷，去接納歐美的文明，認真把日本搞好不可。僅只講了這些。

昨天或前天吧，占據經團連〔譯註：日本經濟團體連合會的簡稱〕的大樓、名叫野村的新右翼人士和《朝日新聞》的記者在電話的對話中，有「看看亞洲的貧窮吧」等部分。這是頗有意思的一段吧。我在大學與學生接觸時，第一堂課我會問「對亞洲抱有怎樣的印象」，幾乎沒有肯定的正面印象。負面的印象如髒、窮、落後、是經常發生問題的地方等是其答案。

本來亞洲一詞就是非常模糊不明確的概念。然而在日本人的心中，亞洲這個語詞帶有魔性的回響，像野村先生的發言照樣突然就迸出亞洲這個詞。1974年，田中角榮先生訪問亞洲時一樣發生排日運動，日本因而有「不懂亞洲人的心」之議論盛極一時。一般來說日本人很喜歡「心」字。到底亞洲人的「心」是什麼，並不清楚。亞洲的人很多，我是亞洲人，在越戰時逃亡到美國的那群人也是亞洲人，胡志明也是亞洲人，究竟是指哪國亞洲人則

似乎並不在意似的。可是人人都以感到愧疚似的口吻說，不可不知亞洲的「心」。

　　聽到亞洲這個詞，日本人諸位是不是就會感受到有一種魔性的反應呢？所以，福澤諭吉的論文內容是什麼並不重要，僅是那脫亞的字眼便足以構成他的罪過了。想從亞洲逃出去真是豈有此理。是背叛所以感到愧疚吧。這與戰後一億總懺悔*5是同樣心情的反應，我這種看法獨斷嗎？我是以福澤〈脫亞論〉文章邏輯來說，站在被切斷方的立場，也是被要求斷絕往來的腐敗、無可救藥中國人後裔。做為被斷絕的這方來說，應說那也沒有辦法吧，那就這麼辦了。在此之後要斷絕，是日本人的自由，福澤家的自由。問題是在這之後又跳回來，附和歐美霸權主義，追隨其驥尾，擔負其亞洲侵略一部分的任務，限定於中國的情形來說，就是充當列強侵略的馬前卒。這是很糟糕的事情。

　　但是，從另外的角度更善意地看，當時所謂的亞洲當然只有中國與朝鮮而已。若與那樣的亞洲相牽連糾纏而被埋沒其中，日本人自己也要完蛋，所以一旦從那裡脫身，將漢文化對象化，確立日本自己的自主性並與歐美為伍，也可以看作是這種決意的一個表明。問題是如何與歐美為伍，是否有明確的方向性，如果有的話，有必要問其內容到底是什麼。

　　樽井是以東洋社會黨的創立者而名留日本政黨史的人物。我對他感興趣的倒是在於他獨特的日本、朝鮮合邦構想。方才我說

---

*5　1945年8月15日日本宣布戰敗投降，當時日本首相東久邇宮稔彥王於後提出「一億總懺悔論」，一方面認為戰爭是政府政策失敗，但是「國民道義」的敗壞亦是原因之一，因此要日本國民反省自身。

過他用漢文寫《大東合邦論》，理由是他擅長漢文，還有是他企圖讓朝鮮人、中國人也能讀到吧。對付帝制俄羅斯南下的威脅而日、朝合邦，再與清朝合縱以與之對抗的構想是合邦論的基本骨架。他合邦論的獨特性我認為在於自主的、對等的合併論。大東國的名稱是為了要克服歧視感的考量而產生。他好像甚至還設想到將來要解放白人統治下的亞洲諸民族，把夢想寄託於黃種人國家聯邦的實現。與福澤的脫亞相反，樽井邏輯的原點應可追溯到亞洲一體論，即立足於人種主義觀點的日本自立論之上，我這樣認為。

　　福澤與樽井為何有這麼大的不同呢？詳細情形留待別的機會再說。在此我只想提出一點，即兩者之間從洋學派與漢學派的不同而導致的國家觀與民族觀差異的存在。樽井的情況是，他好像是擁有傳統中國人所共有的，即國家是可變、人為的存在，與此相比的民族是更為悠久的自然存在看法，並以此為立論根據。

　　大井憲太郎等所引起的大阪事件，簡單地講是在民權運動失敗、自由黨解黨的情況下，喪失國內變革希望的大井等自由黨左派，企圖透過介入朝鮮的內政，嘗試找出自己的活路而引起的事件。他們計畫船渡朝鮮，打倒親清朝派的東大黨，扶持親日派來推進朝鮮的內部改革，反過來利用其改革的影響而引起的外患，以謀求日本國內的變革。方便了解大井的構想的，有在裁判該事件時，他自己的辯論，讓我來讀一下其中一部分：

　　我等非取其國而欲令彼國強之者也。即我等為日本人，卻係站在朝鮮人之立場，欲增其國力者也。而我等非如普通戰爭以對

其國。夫對付一部分奸黨之說法為穩當，其直接行為非對國。又，非對民……畢竟我等此所為出於善意主義，以朝鮮國之利益為目的，以使用不危害方法手段為念也。（平野義太郎，《馬城大井憲太郎伝》）

此三個類型就是之後日本的亞洲觀或干預法的原型。其中任何一種類型都深深地與日本「近代」的成立、日本「近代」的擴大相關聯而枝生且被利用，可謂是同根生的。特別是在大井的辯論中可看到的「善意主義」或「站在朝鮮人之立場」等想法，至今猶不自覺地、潛在地繼續存活在一部分日本人心中，令我感到大為驚訝。

這兩個看法與多管閒事的「干預法」，在其後以日朝合併、「滿洲國」的建設、「日支（中）提攜」、大東亞共榮圈等以各種各樣的型態被利用而付諸實踐，這是各位已經熟知的。

本來這個話題不在預定之內，受經團連大樓事件的野村發言所觸發，我覺得講一下比較好所以提出來。亞洲一詞，至今猶帶著魔性般的回響存在於日本人的心中，這一點的嚴重性希望能夠得到確認。亞洲人的心抑或站在亞洲人的立場等看法之中，實在是有著很深的陷阱，我很希望各位能了解，也許我過於冒昧。持有永住權的在日亞洲人被課同等的納稅義務，但是在住宅公團、住宅金融公庫、育英會的獎學資金等方面的權利，卻依然受到限制或完全不被批准。即使是從基於個人的善意主義，進行不可不了解亞洲人的心等議論，亞洲人也只會感到困惑而已。如果沒有對日本近代的所作所為究竟該如何去做檢討，從根本上著手改正

該改正之處，而僅有情緒性的對應，實際上還不足以成為一時之安慰吧。

日本話有「自分」一詞，但沒有「他分」這種說法。有「自他共認」的表現。妻子在日本語有「家內」的表現，但沒有「家外」的表現。這很有意思。當然不是說因為是中文所以就好，可是我喜歡做比較，為什麼是這樣，在中國「內人」是指妻子，「外子」則是指丈夫，中文大致上是成對的。

這暫且不談。日本人太過習慣於縱式社會的規範，對於有「他分」的世界不易認同吧。做為今後日本人的生活態度，我覺得還是必須承認有「他分」的世界存在。這不一定是要拘泥於亞洲，在歐美以外的國家、地域也居住著有血有肉的人。也就是說在經常確認合乎常識的看法同時，對不同文化的容忍度要以人類的普遍價值做為唯一的價值標準來擴大、交往，我想就可以了。日本房間沒有鎖，終究也只是日本內部的規則。因此，在以日本為名的一個共同體，或說同業公會之內可容納，但在此以外就拒絕，不讓外面的進到裡面。如以平等交換來說，對收取一事很貪婪，對給予沒興趣，外面會很容易以這種形式看待日本。從宗教、音樂、運動、道德、語言、住宅、衣著等方面可看到的，說得好是富於變化，仔細觀察的話，日本本身與外來的東西之間劃上明確的一條線。對於這樣做是否正確，目前我還沒有判斷的能力，與其談其正確與否，不如說對於日本人的靈巧表示佩服的，是包含我在內的一般外國人感受才對。

因此，有關一開始所講所謂有巨大的「偉大的胃」，我所期待的是今後一個可能性。可是這個是否能培育出日本人真正開

放、富於國際性的性格，從而對國際交流發揮正面功能的形式發展下去，其實還不太知道。

日本人常問外國人：「你認為日本如何？」我想應該不要再這麼做了。太在乎外國人的看法是很怪的。特別是以「日本」這個國家為單位的提問可說有其異常的一面，但令我感到意外的是日本人卻沒有發覺。應當擺開國家，站在個人的立場對話吧。有個性、特色的東西，應也最容易普遍化。現在日本的音樂家、版畫家或時裝設計師等，因展現日本的優異個性促使其普遍化而在世界上活躍的事例也很多。向白人或歐美人提出諸如「對日本有何感想」、「對日本的生活有什麼看法」之類的提問，特別是在電視訪談中刻板的詢問，在這個國際化的時代是毫無意義的。不以日本國框起來的部分才是人人更感興趣的，這應是近來的實情。

接著要看日本與亞洲的關係，從我的體驗出發，我想提出以下幾點。

其一是被侵犯的一方，亦即包含我在內的被侵略方問題。被侵略的一方往往是要把所有責任推給侵犯的一方，即推給日本軍國主義，以這樣去想、去譴責是比較容易做的。當然軍國主義、軍國主義者是壞的，侵略不管形式如何都是惡。但是被侵略方如果沒有結構上的缺陷，也並非如此容易被侵略，我認為這個部分不能忽略。因為侵略者不是有一天突然像強盜一樣從窗口偷偷進來的。如果自己內部沒有腐敗墮落，又沒有引狼入室的壞傢伙，一般的情況是沒有那麼容易地被侵略。就此意義而言，受侵犯的這一方必須持續抱持檢討自身內部責任的姿態，強調這點是絕對

必要的。

　其二，一部分日本人在提倡「亞洲諸國得以在戰後獨立是託大東亞戰爭之福，因此日本人並不壞」的論調。這是極不負責任、只以結果論看事情的惡邏輯。這只不過是不問日本侵略的原動機與經過到底是什麼的詭辯。不改變這種看法，絕對創造不出真正的善鄰關係。

　還有一部分人，特別在東南亞的反日運動興起時，認為光做經濟發展是不行的，應該推行文化交流。我認為文化交流做比不做好；但是以為文化交流是萬靈丹的迷信，應該盡早捨棄。當作開導性或贖罪性的文化交流畢竟有其極限。如果經濟發展的結構有缺陷，不針對缺陷改正，而企圖以文化交流使情勢好轉，我看是不能奏效的。有一個可以做為依據的例子，這就是日本與中國關係中的文化交流。裝飾在日本房子壁龕裡的掛軸，日本人愛好中國的書畫、山水畫、書法等，即使是在戰爭最激烈的時候，照讀《四書》，人們以詠漢詩而陶醉。可是這些並不能阻止戰爭。我認為要阻止戰爭，只有雙方的有心人共同攜手，盡早把侵犯與被侵犯雙方的結構性體質摘除才是首要。脫亞、入亞、侵亞，或者樽井的亞洲一體論我將之整理命名為留亞、聯亞。脫亞、侵亞很不好，所以要留亞、聯亞，但是日本「近代」的結構性體質如不改正、重組，這議論也只能是以議論完結之外而無他。

　以這個意義而言，國際交流或文化交流是相互理解不可或缺的重要事項；然而這也是有其極限的，文化交流就可解決問題的神話，我想有把它打碎的必要。做文化交流、國際交流就能阻止戰爭的想法，只不過是天真的想法與迷信而已——這是我的感

受。感謝各位長時間的靜聽。（拍手）

本文原收錄於國立教育會館編，《教養講座シリーズ31》，東京：ぎょうせい，1978年5月

日語與我

◎ 林彩美譯

　　記得大概是1950年代末左右，在東京大學農學部部長招待我們外國籍留學生的聚餐會上所發生的一件事。

　　印度的S君第一個發言，「講課能不能用英語來講啊，日語太難了……」他用生硬的日語說道。

　　當時常常在媒體出現的水產H教授因為常去聯合國等機構吧，「啊，在我的研究室裡是盡量這樣做的。」他回答道。其他多數的教授則顯出一副很為難的表情，一時出現了冷場。

　　「來留學不就是以日語的聽講為前提的嗎？還有如果不用日語，畢竟對以國費留學生來招待我們的日本人來說，不是不禮貌嗎？」韓國人的H君以有點生氣的口吻加以反駁。

　　S君也有些激動地申述：「日本本來不是我的第一志願國。在去不成倫敦之時，聽說來日本有獎學金，所以就來了。歸國後就幾乎沒有用處的日語，在日本以外不通用的日語，為什麼我必須學呢？在這裡日語好的只有韓國人與從台灣來的中國人，不是嗎？」「對不對，戴君，你們因為是受殖民地統治，所以日語很好是不是？」他說道。

「正如S君所指出的，的確我們是因受日本的統治而學了日語，不！應該說是被強加的比較正確。但這應該是另一個問題。我們當下的課題不正是在於自問我們要向日本學什麼，應以什麼樣的姿態來學嗎？拿我自己來說，過去曾經因殖民地統治而被強加的日語，眼下可說是做為學習的手段，並且被當作與日本人交流的媒介，可說是為了使留學生活變得更為充實而活用它。」我試著回答道。不久便散會了。

我想與S君進行更為深入的討論，便邀他去喫茶店。

自尊心很強的印度人S君尚未從激動中平靜下來。

「H君到底是什麼念頭。想對因受三流帝國主義日本的統治而學到的日語表示感激嗎？是怎麼樣的傢伙。」

「S君。你可能誤解了H君，他應該不會對日語有特別的感激。證據之一是，在韓國，似乎是韓國人絕對不使用日語。可是，你以為英國是一流的帝國主義，所以認為受英國統治很好嗎？」

「受殖民地統治當然是不願意的，但是如果同樣要受統治的話，被一流的英國統治，總比三流要好。何況英語是萬國共通的，所以很方便啊。」

「S君，聽說印度的大學，至今幾乎所有的講課都是用英語的……」

「是啊，是這樣的，英語的語彙豐富，是印度有教養階級的唯一共通語言。而且，我們本來就是阿利安人種啊。」

自尊心很強的阿利安人，S君正可說是其極端吧。

幾乎是在與此同時，我想起並在回味著黑人作家理查・萊特

（Richard Wright）在萬隆會議（1955年）時與印尼作家的對話，
以及萊特對這次對話的感慨。

「很羨慕你。」

「爲什麼？」我（萊特）問道。

「因爲英語是你的國語。」他說。

「是啊，可是……」我說。

「身爲作家，你可廣泛地訴諸全世界的讀者。」他繼續說道。

「對。」我表示同意。

「然而，混蛋，那些傢伙教我們學了荷蘭語！」他提高了音
量。

「用荷蘭語能講什麼，能講給誰聽？」

他很激動。我們都是歷史的某種犧牲品，他被教荷蘭語，我被
教英語。這位印尼作家兼教育者在從事指導復興母國的古老語
言，巴哈沙‧馬來語的改革運動，用其做爲自己國家的國語。
我感到這個人物認爲對他們來講，與其學習可和被叫作荷蘭、
小而弱的歐洲國家之900萬人進行溝通的荷蘭語，不如使用可以
使訴諸7,000萬印尼人成爲可能的語言更爲恰當。（引用自理查‧
萊特 "White Man, Listen"，海保真夫、鈴木主稅譯，《白人よ聞
け》，1957年，頁64～65）

對印尼人作家的英語觀，我真想知道得更詳細些。從他是巴
哈沙‧馬來語的復興、改革運動的領導者來推測，恐怕即使他把
英語當作「手段」，也不會將其做爲「價值」來接受吧。但是我

們的S君，他是否出於不是作家而是農學研究者之局限性，看起來他極為自然地接納了「白」的優越地位之氣息很濃厚。S君第二次來日的時候，大概因中印兩國邊界問題而怒火衝腦吧，來找我時，竟然漫不在乎地說「清國奴不像話，周恩來是說謊者」。

「這太過分了，S君，你的日語好像進步了，可是清國奴的用語我不能接受。」我抗議道。他搔著頭道了歉。

那麼有沒有台灣版的S君呢。近代的殖民地統治體制一般的構圖，是在於「白」的基督教文明與有色人種的傳統文化之間的衝突。

在此意義上，出現在東亞近代史上的，日本帝國與台灣、朝鮮的統治與被統治關係，與前面提到的構圖呈現出相當不同的面貌。

本來就是同樣的人種，廣義上的文化圈是同樣屬於漢文化的範疇，知識分子共有儒教做為精神基礎。

日本當局為了創造與發現能證明日本帝國與日本人優越性的依據，無疑是費盡心思。

日本帝國優越性的證明，透過富國強兵政策與開展工業化，在某種程度上是創造出了一些。但是做為大和民族文化的、心理的優越性根據的創造與發現，好像並不容易。

神道是「土俗」的，很難令人接受，用台灣檜木造出來的神社鳥居與神社既不能壓制台灣人，也不能使台灣人信服。

為了誇示大和民族的優秀性被拿出來的，不外乎萬世一系的天皇制。這對日本當局而言是以「不幸」一語即可道盡的。中國歷史上皇帝的存在，已先行於台灣民眾的腦海中。不管殖民者怎

麼強調日本的天皇制與中國的皇帝制不一樣，民眾還是聽不進去。他們非常簡單且自然地把日本的天皇制與中國的皇帝做了調換之後來看。農民起義→改朝換代→皇帝的循環圖式，已經滲入民眾的感性之中，可說已成為生活「感情」的一部分。

然而，殖民地統治是凌辱、壓扁被殖民者的母語，將其從公共的層面、從社會生活中驅逐出去，企圖使其變得無力化、無價值化。

台灣的統治也不例外。但是在世界殖民史上也無前例的奇妙事例，可以在台灣看到。

身居要職的日本高官，卻以吟漢詩為樂，以會作詩而感到無限自豪，將其看成有教養的表現。

可舉伊藤博文的史例。伊藤在《馬關條約》決定了台灣的「割讓」後，於翌年1896年巡視台灣，留下漢詩五首。下面是其中最為有名的一首：

際會風雲

際會風雲縱六龍，宜敷皇化納蠻賓。

百年草木霑新澤，千里車書脫舊封。

淡水東流入蓬島，玉山北向揖蓮峰。

鄭家遺跡今何在，只見孤墳沒野榕。

詩作得好不好，或其內容如何現在暫且不問。做為殖民者的代表、日本帝國總理大臣的伊藤，在從此將要做為殖民地進行統治的台灣之地，循著被殖民者的傳統形式作詩吟詩，簡直可說是

既奇且妙。但是，在吟的一方並未覺得，不，就像空氣的存在一般，沒有半點疑惑地、很自然地接納了。

大官對奇異的行為滿不在乎。第三任總督乃木希典是漢詩狂，至於第四任總督兒玉源太郎則更與後藤新平民政長官一起計畫召開了「揚文會」（招待台灣士紳儒者共吟漢詩之會）。

妨礙在台灣確立大和民族心理優越性的，並不只是日本人喜歡漢詩而已。據故老說，日本人對中國的書畫古董、黑檀的傳統形式家具喜愛到幾乎可說是著迷的程度。在50年的統治期間，有心的台灣人全然是冷冷地從旁觀察。讀書人又知道日本文字（假名文字）誕生的祕密，所以不論是殖民地官僚穿戴著的威風官服、佩劍、帶有金絲的肩章與帽子，還是後藤新平所建、對此感到很自豪的台灣總督府紅磚的威容，實際上都不足以支撐起日本人心理上的優越性。後藤新平可說只是「沒穿衣服的國王」而已。

處於相對方的台灣人菁英又是如何呢？他們究竟在文化面，在不損傷自尊下，同時維持了心理上的平靜，並使之伸展了沒有？

在祖父的年代，如果不去沾染與統治有關聯的特權，是可以拒絕學或講日語的。生於1891年（明治24年）的家父，要守住祖父的生活方式好像已經到了極限似的，相當辛苦。到小家父八歲的叔父（在殖民地化第五年，明治32年出生）的時候，殖民地統治結構已發生相當大的變化。

愈有才能的人，就愈要嘗試著在統治民族的政治、經濟、社會的人工絕對優勢下，更「近代」地生存下去。結果他們便被慢

慢地套進正在形成中的秩序框架中。在沒有選擇中醫，而是選擇了走向西洋醫學之路的瞬間，叔父便不得不聽摻雜著德語與日語的講課，不能不尊日本人為師。

　　但是他愈日本化，就變得愈不得不反日。因為他親身感受到殖民地體制的極端非人性。他以母語和病人對話，而以摻雜著日語、德語寫的病歷賺「錢」。日語與「錢」相結合，「心」卻變得腐敗而毀壞。他在沒有認識到自己的生活被日本的「白影」（＝西歐＝「近代」）所籠罩的情況下，不知不覺地成了「有錢人」。

　　圍繞著家兄們的狀況更為嚴峻。在「白影」之上又附加上軍國主義。對於他們來講，漢詩、漢文已不是對自己的靈魂注入活力的媒介。隨著走向中日戰爭之路，當局強化了對書房（傳統的漢學塾）的禁止、公學校（台灣人小學）漢文課的廢止，報紙漢文欄的撤廢，以及在公共社會生活中母語的禁止與取締。

　　留給有可能進入中等學校以上的少數菁英學習和母語表現相近文章的機會，只剩下帶有日語讀音順序符號的漢文〔譯註：因語法的不同，漢文不一定從上往下讀〕而已。那只是為了應付考試的日文、漢文、英語、數學之一的存在。更諷刺的是，他們在日本留學時，只能偷偷地躲起來，而且還須得透過日語才能接觸到魯迅的「阿Q精神」。

　　若能當上台灣版的阿Q，還說得上是有藥可救的。到戰爭末期，可看到從台灣人之中也湧現出軍國青少年，甚至還出現與殖民者一起輕蔑自己的母語，把日語想作是世界上最美語言的狂亂之輩。

　　不能嘲笑S君。只是在台灣版的S君，曾試著從日語轉換為美國英語時，北京與華盛頓開始了蜜月期。

　　台灣版的S君是否正處於困惑之極呢？我們可以聽到從地底下傳來的痛苦呻吟——殖民地主義留下了深重的罪孽。

本文原刊於《立教》第88號，1979年2月20日，頁24～27

人類該對農業與自然有所負責

　　睽別了台灣13年後，我自1985年春天開始迄去年夏天為止，共返台五次。除了參加一些學術會議並周遊了台灣，還與不少老友或新知音討論了些台灣當今所面臨的問題。

　　對於台灣經濟發展歷程與成就，整個社會好似不曾有過任何疑問。雖然一些有心的朋友開始大聲警告環境破壞之嚴重與公害的風險狀況，使台灣社會好像懷有「定時炸彈」般（請參照楊憲宏，《走過傷心地》與《受傷的土地》，圓神出版社出版）。

「現代神話」有待破除

　　但警告歸警告，呼籲歸呼籲，瘋狂「大家樂」、淫蕩色情行業、巧取豪奪、好大喜功之歪風瀰漫於台灣所有角落。少數人在興歎搖頭，多數人專尋空隙以獲瞬時的享受。

　　正視我們今天的問題，該是清醒地導入「成本概念」與破除「現代神話」的時候了。

　　過去的歲月，我們或是處於「低度開發」或是「不夠溫飽」，因而人人只知道標榜經濟「奇蹟」的表象，而少有人洞察

我們為實踐「奇蹟」所付出的代價有多高昂。

　　農業問題老早被認為是經濟成長的包袱。為了緩和對美貿易的順差，容忍美國農畜產品侵入台灣、橫行少阻。以農為本、以農立國的精神已被丟進糞坑。

　　台灣的農村正日益萎縮和凋零，農民鄉親們的無依與徬徨、無奈與淒苦，已形成漫無邊際的無力感。這一種搖撼台灣基礎社會的狀況甚少受到重視，如今，已成為台灣脫序現象的基因之一。

台灣社會逐漸退化

　　任何忽略農業發展國家，都不免引起社會退化現象。冷凍、化學合成食品與速食品的洪流已開始沖走的傳統味覺及飲食習慣。無農藥的生鮮蔬菜、非冷凍的肉類、未加工或未做化學處理的自然食品反而成為稀貴的東西。這一類變化當視為一種退化的現象。

　　「外食」的普及逐漸磨損母子及家族親情。透過自家廚房教育孩子的傳統作法已被忘卻，共聚飲食的愛的團聚由街上飯廳取代。母妻的傳統角色已在變形，社會亦在劇轉。不管為人父母，或為人子女，人人以爭逐商品和貨幣為生活目標。而親情亦漸受金錢的侵蝕與污染，離婚率之高超越日本，直逼美國，可為明證。

　　為了「正本清源」，所以呼籲過「農業不能只從經濟觀點來看，我們的社會不能欠缺農業哲學。社會安定和農村、農業有密切關係，一個穩定的社會少不了健康的農村。因此，農業除了經濟上的定位外，還要有哲學上的定位」（請參照拙著《台灣史研

究——回顧與探索》，遠流出版社）。

我們對農業應有責任感

　　台灣農業、農村危機的爆發已迫在眉睫。在此，我除了重提上述的主張之外，還想提醒人們「農業做為大自然的一部分，有其固有的重要性」，不只為了我們自己，也為了我們的子子孫孫，我們對農業應抱有責任感。

　　「經濟成長至上」和「科技主義至上」的「現代神話」，我們應予破除。這樣的神話教導人們，以國民總生產額和經濟成長率，做為衡量一個社會的唯一指標。更有許多人天真地認為，經濟發展是破除社會黑暗並實現民主化的唯一憑藉。

　　以蘇俄為例，蘇俄雖具有龐大的重工業，以及強大的經濟力量，它的社會是否夠明朗？自由度是否夠寬闊？反觀古代希臘，它的民主主義與啟蒙主義不曾有過高度產業社會來支撐。這些都可以給我們相當啟示。

　　迷信「現代的神話」的人們，高唱經濟奇蹟，但甚少涉及因奇蹟而產生的「公共的害惡」以及「成本」。

　　台北、高雄的高樓大廈確實是台灣經濟奇蹟的另一種象徵，但兩都市的住民雖然得到不少現代生活的快適，另一方面都失去了陽光、綠林及生活上的安寧。

　　人們不知不覺地陷入似是而非的「人本主義」之中，認為自然只是為人而存在的，人對自然擁有優先的地位，人可以支配自然，人是自然的主宰等。尤其是科技日益進步，使人類誤認自己

可以征服自然，更可以盡人之所欲而恣意地利用它，使它變形，
豪奪它而無愧。

人和自然不可分

　　類似的樂觀主義，在美、日等先進工業國，已漸為一般老百
姓所唾棄。反觀台灣，還有不少人士執迷不悟地懷有前述一類的
「樂觀主義」。其實，台灣的自然環境早已不堪隨經濟成長而來
的繼續破壞。我們為了這一代以及後代都該珍惜自然，不該再浪
費資源，使其枯竭。

　　我們更需要改變以往以人為中心對待自然的態度。我們不應
該再任憑人為的「意志」來破壞自然，而要使用智慧，謀求與自
然善處之道。

　　我們雖然可以肯定，以基督教文明的二元論的自然觀──人
與自然分為二元的論點──導致近代科技的發展，但「科技至
上」已與尊重人性的價值觀有所衝突。

　　在日、美，為了追求利潤高唱「科技萬能」的風潮，已經逐
漸受到批判。但在目前台灣，不少人仍然自囿於科技主義至上的
奴隸而不察，真是可悲與驚悚的社會事實。

　　破除「現代神話」的時機已經成熟了。我們必須抱持人和自
然為一元的自然觀，強調人類對自然亦應負責的一種嶄新的對待
態度。

本文原刊於《日本文摘》第16期，1987年5月1日，頁8～9

戴國煇全集 ⑯

文化與生活卷

未結集：
中日文化之我見

翻　　譯：李尚霖・李毓昭・林彩美
　　　　　林琪禎・孫智齡・陳仁端
　　　　　劉靈均
日文審校：吳文星・林水福・林彩美
校　　訂：陳梅卿

輯一

生活札記

給T君的信：往北海道的亞洲

◎ 李毓昭譯

T君：

你好嗎？你那邊應仍處於炎熱的夏末吧？我按照原訂計畫，於〔1960年〕8月2日返回。身體狀況極佳，彷彿因盲腸炎而喚回了昔日的活力。

我想從今天開始，依之前給你的承諾，把7月11日肚子尚有縫線就搭上特急列車「初雁」，到8月2日總共23天的旅行心得整理出來。

此次旅行的行程如同上次在信上的說明。

首先，光是聽到由12國青年組成50人大團體，持續23天的旅行，是不是就覺得心情舒暢呢？我想要把這件事當成20世紀後半葉的文明勝利。我們裡面有些人來自因祖先互相仇視，至今仍傾軋不休的國家；也有些人是15年前還手持武器互相殘殺的族群子弟。不論是否意識到這些過去，這些人都在追求新的可能性，一起融洽地旅行，簡直是一大壯舉。我們克服了國家、性別、宗教、風俗習慣和思想差異，合作、溝通，也和諧地高唱以色列人大衛教的〈追求和平之歌〉，以及在山部村同樂會上學會的〈幸

福之歌〉。那裡面有共通的對話場所，我們因此得知彼此存在著共通的志向。

可是T君，我無法藉此以美化旅行的一切。那底下有許許多多不同的想法和意見，也有性急求速效而失望的朋友，或是一直盯著別人性格上的不長進，想要去糾正以至於心裡發癢的同伴。也有些人在最後暴露出領導者意識。

國際上的交誼或友情不可能在23天的旅程中建立，問題意識也不可能一致，反而要從一開始就要存著建立「百年之交」的打算，不要太快附和對方的想法。依此前提，我深深感覺到，把自己放進對方的想法之中，然後換成自己的方法論去思考有多重要。而從此意義上來說，我也重新認識到領導者意識是應該唾棄的。這是我的第一個收穫。

你應該也曾聽聞種種北海道的美，我希望在沒有傳統（無所謂的名勝古蹟）的大自然中看到那裡的美。不同於東京的擁擠，無人味的，不，人味稀少的北海道無比優美。這種優美加上火山灰土壤的香氣、自然林的綠與山，以及碧綠的湖水，凡談論風景時必不可或缺的因素應有盡有。不高明的形容我很想就此打住，但北海道的回憶與湖水和景色密不可分，令我無法不寫出來。其中尤以風蓮湖的落日與摩周湖自太古以來的神祕令人傾倒。幸好摩周湖沒有溫泉旅館。我說「幸好」也是在批評日本的觀光事業。北海道的觀光事業也不例外，明信片、廣告句子充斥著誇大宣傳，還有從車掌小姐口中出處不明、加油添醋的傳說。不僅如此，她還以顯然來歷不明的無聊傳說、鄉村小山的介紹，剝奪了我們思考、觀察的時間和權利。用加了商業色彩的有色眼鏡去看

自然的作法，也令我不時想抗議。我想起前年你從美國回國的旅次，順道過來購物的事。美麗的電梯小姐說著「歡迎光臨、歡迎光臨」，且不斷行禮，讓你對其非生產性的單純工作提出質疑。百貨公司的售貨員把東西遞出時說「讓您久等了」，並且行禮時，你一板正經地回答：「哪裡，我沒有等」並一臉詫異地看著她，委實令人莞薾。我五年留學生活中的「習以為常」，大概讓你感到奇怪吧。腦中浮現這些事情的同時，我也要拿日本做比較，思考我國觀光事業應有的作法。

加氣墊的最新型柴油觀光巴士、顛簸的道路、氣派的溫泉旅館和牛肉場〔譯註：設裸體模特兒供人拍照和寫生的場所〕、觀光資源永無止境的開發、加了商業操作的傳說等，均顯示出自我貫徹的資本邏輯，給了我們莫大啟發。這是我第二個收穫。

接著再來談談參觀的事，尤其是農村。在函館的火車上沿路見到的風景，就是乳牛在有著複折屋頂畜舍和圓塔形青貯窖的背景中悠然吃草。

盛開的鮮黃色油菜花和似乎苦於無法分蘗（溫度不足）的水稻，十足反映出北海道所在緯度的作物相。

水稻栽培不拘泥於緯度，往北限延伸。據我所知，一直伸展到近北緯45度的天鹽川流域。

農民不畏於在北海道寒冷地種植稻米，由此可窺知日本農業真面貌的一面、反過來無法只用執著米食來解釋的經濟層面，以及確保自家消費的米飯之外，取得商品作物這種習性作用下的結果。我們不能忘了稻米在日本是唯一具有穩定市場價值的農作物，最大原因就在這裡。

　　一般認為北海道農業是大規模經營，但我們不能因此將之視為資本主義式的經營或大農場。這裡的農業經營規模確實比本州大，但是之所以會變大無非是此地的土壤條件使然。因為水田在二町步〔譯註：一町步大約是一公頃〕以下，乾田在三町步以下是無法維持生計的。

　　除此之外，據說北海道的豐年與凶年全是依七、八月氣溫而定的。如果是低溫，而且多雨水和海霧，就一定是凶年。

　　我想起 7 月 21 日從釧路到帶廣的車程中和我們說話的農家老伯：「戴先生，各位先生小姐，東京來的客人都直說很熱，我們老百姓卻很高興，因為這樣的天氣特別適合分蘗……」我一邊點頭稱是，一邊偷窺報紙，上面有「小兒麻痺在北海道肆虐！」之類的報導，所謂不同立場的不同感覺，指的就是這個吧。

　　參觀的壓軸節目是在根釧原野看到的機械開墾。試驗農場（pilot farm）就是 R 君去年農業實習時在那裡看到的。

　　公團的刮板推土機的拔根表演委實壯觀。這是我首次從藝術的眼光去看機械讓人脫離重勞動的情況，或許是我身上的農夫血液令我有如此的感受。

　　以機械開墾的試驗農場是名符其實的 pilot。以後這些農家會如何成長，如何影響北海道的農業，或是沒有影響，都是值得觀察的。

　　可是試驗農場隔壁卻仍是住茅草屋頂苦撐的是昭和 3 年組〔譯註：指於昭和 3 年移入北海道的開拓農民們〕的簡陋開墾農家（儘管為我們導覽的機械公團前嶋所長說，那裡的經營相當穩定）。與大企業的臨時工問題一樣，對我們如實地顯示出資本主

義在日本經濟中發展的某一面。這或許可以說是隱藏在高度成長背後見不得人的部分。

　　尤其是與曾經的人畜開墾方式相比，機械開墾具有絕對的優越性，而不能普遍採用機械開墾的社會經濟結構是令人深思的問題。這是我第三個收穫。

　　最後我要寫出兩三點在此次旅行中對日本人的感覺。

　　如您所知，我來日本五年，除了東大的同學之外，幾乎沒有機會和日本人接觸。以前我曾寫信向您談過日本人的自然觀，我記得裡面曾這麼提到我租房的房東。「他是即將退休的郵局下級職員，將住家的平房改建成兩樓，上層分割成三房出租，卻沒有

參加北海道之旅的各國留學生合影，戴國煇（前排左五）、林彩美（前排左四），攝於1960年（林彩美提供）

全部蓋滿。窄小的庭院面積相當於四疊半榻榻米，半疊圍成有紅橋跨立的金魚池，另外還種上幾棵樹營造野趣。如果是中國人，一定連這四疊半也要建成二樓，藉以一個月增加9,000日圓的收入（四疊半一間4,500日圓）」。

　　我至今一直在想著這件事。從租房窗戶看到的花草、金魚缸、鳥籠和農家庭院的花，與日本人的自然觀加在一起思考。我可以理解東京公寓族為什麼要擁有花草、鳥籠等東西（對機械文明最低限度的抵抗），北海道的農家也有庭院（請注意不是菜園），也種著花。

　　我很想知道，他們每天處在田園風景之中，那些花在他們心中的分量，卻始終不得而知。如果藉以推想日本人的社會觀，又將如何呢？這方面似乎挺有意思的，但下次再談吧。

　　接著要說的是他們的住所。北海道應該很冷，一般農家的結構卻幾乎與本州相同。貧窮人家是茅草屋頂，其次是樹皮屋頂，再其次是耐寒的磚瓦建築。問題不只出在屋頂，也開了許多窗戶，房子到處都是縫隙，有的甚至設有外廊，冬天的燃料費不會很高嗎？實在令人不解。移民暫居或貧窮等經濟因素似乎都不是充足的理由。日本人以前到寒冷的朝鮮或大陸東北經營遷居地時，據說也是如此建造住家。此外，你記得日本曾在台灣強制普及日本式的浴室嗎？在靠近熱帶的國家建造日本式浴室，太不合理了。這是殖民地主義者想要顯示其優越感，還是為了維持權威？問題很複雜，讓人摸不著頭緒，但或許日本人的思考模式和隨之而來的行動模式中潛藏著不合理的一面吧？

　　這與以下這一點不無關係，亦即受了相當高的教育、頻頻接

納外來思想而承受其中混亂的知識分子，在決定日常行為的想法中仍可見到前近代性格。我們在思考日本的近代化時，除了社會經濟的因素，這方面應該也是不能不考量的重點。

　　拉雜扯了很多，就此擱筆。再見。

　　後記：時序進入九月，我就盡量不與日本學生見面，但催稿還是間接或直接地成為心理重擔。愈想寫出出色的稿子，思緒就愈混亂。萬不得已，只好將寫給朋友的書信潤飾之後公開。請大家諒解。

　　最後我要感謝日本各位人士協助我們完成此次旅行，衷心感謝擔負重任的執行委員會諸兄，也希望有一天我們這些人也能達成此種壯舉。我在期待自己日後也能有此能力之中擱筆。

本文原收錄於アジア学生北海道見学旅行実行委員会編，《北海道をゆくアジア：第2回アジア学生北海道見学旅行報告書》，東京：アジア学生北海道見学旅行実行委員会，1961年2月10日，頁42〜44

感到抗拒的二三事

◎ 林琪禎譯

研究古早的事物有錯嗎？

高中的後輩某君來到日本留學了。我問他：「某教授還好嗎？」「喔，那位教授至今仍然還是在教那些老東西，因此……」

這位某教授做的是重商主義的研究，在日本也是位相當知名的教授。

「至今仍然還是在教那些老東西，因此……」在這段對話裡頭的「老東西，因此……」之語，讓我感受到了這位後輩對某教授的失望與責難的情緒。

古今東西，對於研究歷史的人，多有逃避權力，尋求隱遁不問世事的觀感。但我個人認為某教授並非如此之人（過於獨斷了嗎？）

在某君的話中，我並沒有感受到對於這種「逃避」的批判。也不表示他在責怪某教授不以較現代的角度來說明歷史這件事。

無庸置疑地，某君用「老東西，因此……」這個說法所想表達的是，未對新的經濟學理論如羅斯托（W. W. Rostow）「經濟起飛」的發展經濟學與高伯瑞（J. K. Galbraith）的富裕社會論等

做「轉售」給學生的不滿。

　　我覺得台灣的學界，也有類似台灣商人般，來日本採購「新的玩意、新的事物」的傾向。

　　我並不是說新的事物不好，而是說並非踏實地介紹新事物，而有「強加給與」的顧慮。

　　這種風氣和社會科學相關學系的學生，不了解「古典」所具有的重大意義不無關係。

　　更多地受機械支配的大部分知性智慧者身上可看到近代主義的癖好——所有技術專家的精神狀態特有的癖好——在毒害我們的大多數的大師時，未遭受毒害的少部分就被看成「異類」。功利主義的學生們唾棄「舊物」，最後就連「亞當‧史密斯（Adam Smith）」的理論都或許不能避免被當成纏腳的臭布，是無用的東西。世界各地都喊著「Take off, Take off（經濟起飛）」萬萬歲，即使過了30歲，竟也還在轉向學醫。

對英雄史觀的疑問？

　　在某個只有留學生的研討性授課會（seminar）上，某君歎道：「孫文如果多活一點，或者說有二個孫文的話……那中國的命運或許就會不一樣了吧。」另一個友人則說：「文化程度低的滿洲族（清）能滅掉明朝的原因，都是因為吳三桂衝冠一怒為紅顏的關係。」

　　這些對話，讓我又再一次地體會到，勸善懲惡的史觀與緊密連結在一起的英雄史觀是如何地根深柢固。

　　要如何正確評價一個人在歷史上所扮演的角色，當然是個重要的問題。但我們的歷史教育中常見的對於英雄過高評價的現象，則是應該加以檢討的。

　　表面上批判英雄史觀的友人之中，有人是主張歷史是不存在所謂的法則。這種觀點可以從巴克爾（H. T. Buckle）的《英國文明史》〔*History of Civilization in England*〕以及基佐（F. P. G. Guizot）的《歐洲文明史》〔*History of Civilization in Europe*〕中看見──那是一種透過對歷史過程的大量觀察、試著找出其中法則的方式──這是對歷史研究態度以前的階段。

　　說到戰後的社會經濟史學派與其他的諸學派在研究成果上的鴻溝之深，總令我覺得感慨。

　　被以年代表、人名、事件的羅列敷衍過來的人，怎麼有可能期望其站在世界史的視野上，立體地去掌握自己真正的問題意識呢？

　　「從眼前的問題和現今的問題意識為媒介，自此出發，用實證的方式去型塑一個歷史的世界觀」，是局限在易姓革命、王朝興亡的年代學水準的歷史學裡所無法做到的。

　　這種毒害也讓我的友人同學只能用絕對化、抽象觀念非歷史的去理解「自由」這個問題。其實自由並不是抽象的事物，而是具體問題的歷史事物是無庸贅言的。此類忽視歷史的發展階段與歷史條件的觀念論，實在有需要加以摒棄到臭水溝裡。

我的「傷痛」

　　日本人常誇讚我：「你的日語真好。」每當被如此誇讚，

我的心中就感到無盡的疼痛。日語對我來說，是被奪走「home language」（家鄉語），然後被強加的「外國語」。日語，已經成了我內在的「傷痛」了。

來日之初，這樣的誇讚，確實會讓我感到愉快。如今光是想到自己曾那樣毫無警戒接受奉承的輕率態度與意志上的頹廢，因未知覺所以很嚴重而為此感到汗顏。

因此，我必須填補被奪取的精神空間，以這個被強加的外國語為手段，將「禍」轉「福」，面對這頭「獅子」所分贓之一部分的「流暢的日語」所代表的本質上問題，好好地整理自己的心境，然後重新出發。

「我不能乘坐在這頭獅子的分贓上而拚命往前衝。」經過了漫長的歲月，我達到了如今的境界。只是從達到目標的那天起，我心中的「傷痛」就越是激烈。我目前的課題，就是從這個「傷痛」之中解放。

當然，「流暢的日語」之定義，隨著世代會有所不同。但至少我內心所感受到的「傷痛」，在諸位感同身受的讀者心中，想必是還會心疼一陣子。

我們必須知覺這種「傷痛」，才能知道只是代表這頭「獅子」或「獅子的分身」在發言。我們不能藉著「羊」的名，而褻瀆「羊」群。

本文原刊於《暖流》第2號，東京：東大中国同学会，1962年5月，頁9～10

有關留學生問題的訴求

◎ 林彩美譯

　　首先，我要對為我們舉辦如此盛大懇談會，以穗積先生為首的亞洲學生文化協會的各位，表示由衷的感謝。

　　我來東京已過了八個寒暑，像這樣在京留學生齊聚一堂的會議，我想是第一次。今年有關留學生接納體制開始有相當的變動。例如文部省新設立「留學生課」加強留學生接納體制，看到官方開始認真看待此事，對身為老留學生之一的我感到很欣慰。在這個新的動向之中，很不幸的是在千葉大學發生了抗爭事件。古諺有云：「轉禍為福」。例如因為這個抗爭而喚起輿論的注意，與導致這次的「留學生問題改善懇談會」的成立就是不幸中之萬幸。然而留學生與接納方的直接負責人，或者支撐這個工作的一般社會之間，我覺得還有相當的距離與落差。

　　如何把這距離與落差縮短而能過有意義的留學生生活，為了檢討此問題，我們17國的留學生與以穗積先生為中心的有心日本人的諸位舉辦了這樣一個集會。在此集會產生的成果就是這本小冊子。我們的基本想法寫在這裡面，請能仔細翻閱。

　　對於這次的抗爭在報紙上看到的投書與論調之中有「留學生

很挑剔」，或似乎存在「給錢改善設備，問題就可解決」的想法。當然，或許此方法可以改善一部分問題或表面的問題，而接納體制根本整頓的同時，剛才穗積先生所講「個人與個人平等的交流」把這民主主義的基本原理也引入留學生問題之中，不然我想是不會順利的。利用留學生的國家間以及民族間交流成功的要因，不僅在留學生方，接納方也有，而享受此成果的不只派遣留學生的國家一方，以長遠的眼光來看的時候，其實接納方的日本也應該是有很多利益才對。從而我們的留學生活過得很有意義，在將來產生出更大的成果為目的，我由衷懇求留學生問題懇談會，如能繼續常辦，使更大範圍的相關日本人諸位也能來與會，來扶植此懇談會。

到去年為止所謂留學生對策只以國費留學生為對象，自費留學生增加很多，在數目上已是國費留學生的數倍。宿舍、保健等的問題比國費留學生是更為痛切的問題之故，請多多給予關照。而在此要表明，我們留學生也不要只是要求或主張權利，要經常伴隨自我批判的研究或生活態度，以期在學習上獲取好成果。

最後，我們留學生平常受日本人諸位的照顧。這次，在新潟發生地震，據新聞報導災害相當嚴重。在此，謹代表今天出席的全體留學生，對新潟地震的罹難者寄上同情與鼓勵，同時由衷懇求各位捐獻愛心。

本文原刊於《会報「アジアの友」》第19號，東京：アジア学生文化協会，1964年6月，頁3～4。係於亞洲學生文化協會主辦，「在京留学生懇親会」上之發言，1964年6月21日

戶隱一遊所拾
——學生健行團Wandervogel滑雪旅行

◎ 林彩美譯

　　感謝川上先生的邀約，闊別五年之後我又穿上滑雪靴。阻撓我歸國的要因之一是雪與滑雪。對於出生南國的我，雪是極棒的存在，更棒的是能以世界最便宜的費用享受滑雪。我不喜歡去人多的滑雪場。靠近石打〔譯註：滑雪場名〕雖有免費讓我住宿的友人家，但我只去過一次。乘鞍（第一次去滑雪的地方）和戶隱在這個理由上是最理想的吧。

　　雖不高明但偏好運動的我，以嘗試過大半運動的經驗來說，能以冬山做背景而滑翔的滑雪是娛樂運動中的佼佼者。而滑雪的魅力之一，不能排除美女的存在。在都會裡雖不算美女的，在滑雪場裡卻不可思議地以美女之姿映入男性的眼簾。大概是白色與原色的搭配，而美的中心要素的眼睛與雙腳被遮住，鼻子又被墨鏡覆蓋著之故吧。

　　滑雪的樂趣之一是可住在山中小屋。不管多麼威嚴拘束的人一旦進入山中小屋便會融洽地與他人打成一片，在混亂之中的秩序，溫暖的心與心的接觸，雖短暫但在都市生活中早已失去的東西在此可復原。仿如自然的共同社會氛圍吧。對於新興國農村出

身者是令人懷念的。被冷落與孤獨所打擊而心灰意冷的人們成群往滑雪場去，是因滑雪如「誘蛾燈」在作用著吧。老天爺不辜負善意的人們，天氣不只白天，連晚上也很好。上弦月冷冷地映照在雪上流淌入眼中。我記起白居易的名詩，仿效著吟詠「共看明月應垂淚，一夜鄉心五處同」。翌日臨歸前為被囑寫些留於小屋，前夜寒月的餘韻吧，我留下：

> 遍地雪片，溫暖人心，
> 小屋人人，可親可愛，
> 教人依依，戀戀不捨。

如上。愉快的戶隱之一遊，謝謝各位。多謝美麗的小姐們，多謝英俊的先生們。1965年1月。

本文原刊於《ワンダーフォーケル・戶隱スキー特集》第9號，1965年度

同學會草創期的四個原則
——私感

◎ 劉靈均譯

　　所謂「四個原則」其實是筆者自行命名的。簡單說，因為筆者曾擔任第一、二任的總幹事，而且現在也仍然留在日本，希望藉《暖流》第十號特集的機會，確認同學會創立初期的基本精神，並且可以傳給新會員，這是本文的意圖所在。副標題「私感」，是因為以下所寫所謂「原則」在當時（因為種種緣故）未必是由總會明確確認的，可說是有些朦朧不清，而筆者是在有志的會員諸位兄姊的默許基礎之下，再度整理這些原則。所以加上這個副標題，是為了承擔本文之責任所在。

　　第一原則：本會係以學術、親睦團體之形式，做為東京大學的校內團體進行活動。這是在複雜的政治環境中，為了務必保持學術研究的自由而不得不想出的苦肉計般的默契。同學會雖然不直接實行政治活動，但會員個人的政治活動是不受拘束的；當然當時也認為，只要學術研究的自由受到侵害，勢必會影響到本會的存廢，為了保衛本會的存在而進行的「政治性活動」也是有可能的。

　　第二原則：會則第三條規定會員是「具東京大學學籍的所有

中國學生」（後來也許可校友做為準會員而加入）的意義。這個「中國」並不代表國家、政府，只是單純說是「中國人學生」。淺見以為，即便是做為民族的「中國民族」也不妥當（比如說當時東南亞的華僑學生也能入會），要將之改為「華裔」也令人有心理上的抵抗感；所以這裡的「中國」和會名的「中國同學會」一併成為當時議論的標的，也是會員們意見的最大公約數。

　　第三原則：總幹事是無權威性的存在。這點甚至明確的規定在會則第5條的(1)款，規定其負有聯絡的責任。當初，本會幹部們並沒有集團領導的意識，而是以集團服務的精神從一而終。最近有傳聞，本會幹部中有人藉本會幹部之名，和某些當局人士進

戴國煇（前排左一）與東大中國同學會會員合影，第四排左一為林彩美，攝於東大山上會議所，約1967年（林彩美提供）

行政治利益交換，令筆者深感遺憾。我們私下達成共識，要斷絕當時糟糕的「吃裡扒外」、「有名無實」之傳統，不與無關係的外部組織拿錢，甚至為了財政自立，舉辦過舞會以籌措經費。此外我們也拒絕做秀。所以《暖流》第一號會是那樣的裝訂並非沒有原因的，希望新任幹事諸兄能銘誌在心。

　　第四原則：投稿《暖流》者不能用筆名投稿；此外，政治立場過於明確的論稿，也希望其投稿於會刊以外其他適當的刊物。學術與政治之間的問題相當困難。無論如何，本會並非不知變通，但只要會員的「質」不能提升，就必須繼續堅持此一原則。不能使用筆名除了是要求文章的作者自負文責之外，也與前述第一原則有很大的關係。

　　以上，雖然有言而未盡之處，但求本文能傳達草創時期的精神，或者諸位幹部先進些許的用心良苦，並且能在今後繼續活用。

　　本文原刊於《暖流》第10號，東京：東大中国同学会，1968年4月，頁5～6。為「七年の步み・總幹事のことば」特別企畫內文章

【附錄】

東京大學中國同學會會則

◎ 李尙霖譯

第一章　總則

第一條：本會名稱為東京大學中國同學會。

第二條：本會以謀求會員相互親睦，得到相互研究之成果，並且共同達成生活之相互扶助為目的。

第二章　會員

第三條：凡具東京大學學籍的所有中國學生（大學部學生、研究所之研究生等）皆可成為本會之會員。會員有繳納會費（暫定一年100日圓）之義務。

第三章　組織

第四條：總會一年一次於學年開始時召開，為本會最高決議機構。但若幹事會提出動議，或者得到會員五分之一以上之同意署名，得召開臨時總會。

第五條：本會設置以下之幹部，各幹部之任期為一年。

⑴總幹事一名：由幹事互選產生，負責聯絡工作。

⑵幹事八名：由各校區（一、文法經教；二、理工醫藥；三、農學部；四、教養學部）各推選二名。各校區全員具有幹事任免權。

第六條：幹事會由全體幹事組成。幹事會代表本會，為本會之決

議執行組織。幹事會每三個月召開一次定期會。

第七條：必要時，得在幹事會下設置各種委員會，以利活動推行。

第四章　活動

第八條：為達成本會之目的，推行下記之活動。

(1)舉辦研究會、演講會。

(2)會員住宿及打工等之斡旋。

(3)舉辦親睦會。

(4)其他。

本文原刊於《暖流》創刊號，東京：東大中国同学会，1960年，封面裡

同文同種的笑話

◎ **劉靈均譯**

　　從以前我就覺得，如果試著以編年體整理中日兩民族的文化人如何解釋並利用「同文同種」說法，應該會很有趣吧。同樣的，比較中國和韓國、中國和越南也應該會相當有趣。這裡姑且不談這麼困難的話題，就介紹個純屬笑話的實際故事。故事發生在清朝末年，留著辮髮的清朝留學生來到東京遊學，在百貨公司看到大橫布幕掛著「本日大賣出」，嚇了一大跳。當時中國人寫文章是只從右往左寫的，所以猛一看就成了「出賣大日本」。出賣正值破竹之勢日本要做什麼？於是開始喧喧嚷嚷地討論起日本人。又在飯館的樓梯邊看見「每度有難度」〔譯註：謝謝光臨〕的貼紙，領班也認真的說著「每度有難度」哈腰致敬。對客人如此無禮！竟然詛咒客人每次遇上災難，實在是太奇怪了！

　　「倭人」的野蠻竟然在贏了日俄戰爭後也毫無改變，真可說是「本性難移」啊！不把愚公帶來是不行的──於是乎又全盤托出中華思想繼續喧喧嚷嚷。這是魯迅、郭沫若等前輩們的故事。

本文原刊於《所內報》第4號，東京：アジア經濟研究所，1971年1月，頁6

在舊書展可遇見的人們

◎ 林琪禎譯

前言

　　逛舊書展的樂趣，若沒有不惜弄髒雙手地親自尋寶，是不能真正體會的。

　　有一部分的有錢人，或者繁忙的藏書家們，不是用送到手上的目錄直接訂購，就是到店面前，豪邁地掏出鈔票將放在店頭、眾所皆知的「著名」書籍一次打包帶走。這種行為對於我們這種貧窮的愛書人，簡直就是一種公害，甚至可說是「敵人」了。舊書的價格就是因為這些人的關係，沒多久就飆高了。

　　這二年之間關於台灣的非「著名」書籍的價格，似乎開始有了便宜一點的傾向。去了幾趟展覽會，都沒有遇到許多舊識的「台灣老同鄉」，不知道是否因為時間的關係而錯過了？在競標的時候也幾乎沒有遇到對手是他們的情形了。

　　只是，今年不知道是否因為中國問題熱鬧起來之故，競標的對手忽然增加了。除了「老同鄉」（蕃薯之子）之外，日本人的對手也多了不少。

　　前面提到的舊書變便宜的理由，其中之一當然是因為尋書的對手悄然銷聲一時，而讓舊書店老闆嚇壞的，還包括了美國當地研究預算的大幅刪減、日本發生一連串的大學紛爭，以及台灣舊書影印版本流入日本的現象等。上述的諸多因素，都是讓舊書的價格不敢輕易飆高的原因。在台灣影印出版的舊籍，像是《台灣民報》、《民俗台灣》、《台灣私法》、《台灣慣習記事》等都是眾所周知的。順帶一題，《台灣民報》一套十冊被標上了500美金的高價。

　　台灣的複印技術和製作技術的提升，雖然值得注目，不過很多出版商對於複印出版在文化上的意義都不甚重視，或者可說是沒有思考的腦筋，短視近利的惡質商家也不少。要從我們這些讀者不時地向台灣內部提出抗議，也許可約略抑制。希望台灣也能培育出一套良性的複印出版規則才是。

　　回到主題上吧。東京周邊的舊書展覽會場，以神田的東京古書會館為中心，周圍則有高円寺、五反田、淺草、武藏野、城南（霞町）、荻漥等處。只是最近不知為何，後面二處的展覽會場已經很少營業了（就我所知的狀況來看）。

　　在本文中我想提及的在舊書展中「遇見」的人們，並不是指有形體的人。而是指在書裡或雜誌等文獻資料中所遇到的「台灣人」們。

　　在東京的舊書攤尋寶了15年之久，可說遇見過形形色色的人們了。像是藏書印上的姓名、論文執筆者、雜誌廣告欄的執筆預定者、單行本的作者等。當然，覓得喜愛的書或資料，在電車上或回到家中書房後，展讀之際又會遇到新的朋友。這些朋友日後

我會在論文之中慢慢提到，在此我想舉的是幾位在舊書展時遇過
的，比較不為人知的幾位人物。

難得相逢的前輩們

1. 共愛女學校的周校長

> たかさごへ帰らんと
> さそふ若人に
> 我が国籍は
> 天なりと告げよ

> 告訴那些
> 找我回高砂國的年輕人吧
> 我的國籍
> 在天上

這首詩是印在菅井吉郎所著《周再賜》（高崎市：郡馬教壇
社，1947年發行）封面上的文字。高砂國當然指的就是台灣了。
這位周先生是位已經仙逝之人。周是繼李延禧之後，以台灣出身
者的身分，第二個留學美國的前輩，也是位基督徒。他在1922年
從舊金山回到京都，隔年擔任同志社大學文學部神學科助教授，
之後因故辭職，1925年起前往群馬共愛女學校擔任校長，一直到
晚年（他在1969年12月2日病故）都在該校服務。

周在同志社念書時期，以及美國留學後回到同志社服務時，都因為台灣人的身分而遭受到差別待遇。上頭的詩就是周先生所寫。從詩中可以窺見一名殖民地出身知識分子較為少見的生活方式。不知是否有有心人有興趣研究周先生此人？聽說周先生沒有子嗣，但夫人仍健在。現在正是著手研究的好時機。有志之士可以先參考伊谷隆一的著書：〈戰爭時期上毛〔譯註：日本古地名地名，位於福岡縣〕的基督教徒們（完）──《新生命》、《群馬教壇》的思想〉〔〈戦時下の上毛キリスト者たち（完）──《新生命》《群馬教壇》の思想──〉〕（《思想的科學》1970年3月號所載）。若此文能達到拋磚引玉之效，則撰寫此文之意已達成。

2. 廖溫仁

廖是《東洋腳氣病研究》（1936年發行）的作者，書中可見數位知名人士為其作序。廖自東北大學醫學部畢業後，又進入京都大學文學部，在大學院以東洋醫史學為題進行研究。是名篤學之士。另著有《支那中世醫學史》。猶記得前幾年回到台灣的廖文毅原名似乎正是「廖溫義（？）」＊，由此推測廖溫仁應是廖先生一族的同輩。我對於廖先生的了解僅止於此。由於漢方醫學＝東洋醫學的再評價問題，最近才被重新提起，因此個人也十分希望我們這個時代的人，能有有心人願意出來研究這名篤學之士廖先生所從事工作的價值與定位。

＊ 廖文毅（1910～1986），本名廖溫義。

3. 江文也其人

　　江文也因為和廖同為台灣出生者之故，因此日文與中文（包括漢文）的素養皆備，著有《中國古代正樂考——孔子音樂論》（《上代支那正樂考——孔子の音樂論》）（昭和17年，東京：三省堂發行）。順帶一題，聽某日本人評論家說，此人如今身在大陸。興南新聞社所編之《台灣人士鑑》（1943年，興南新聞日刊十周年紀念出版本），對江文也其人有如下的記述：

　　舊名文彬，作曲家，聲樂家，（現居）東京市大森區南千束町46，〔經歷〕明治43年（1910）6月11日生於淡水小基隆，爲江長生之次男。昭和4年（1929）3月長野縣立上田中學畢業。後直接入東京武藏高等工業學校電器科就讀。同7年3月畢業，雖是名專業技術者，但有音樂天分，拜師山田耕作氏埋頭研究音樂。同7年度入選日本音樂大賽聲樂類，同9、10、11年度，入選日本音樂大賽作曲類，並獲授獎。1936年度參加柏林世界音樂大會，在作曲競技類以管絃樂曲〈台灣舞曲〉順利入選。同8、9年度參加普契尼（Giacomo Puccini）所作之歌劇〈波希米亞人〉、〈托斯卡〉之演出。1937年度於巴黎萬國博覽會演奏〈生番四歌曲〉。現爲東京音樂協會會員，日本現代作曲家聯盟會員，世界近代作曲家聯盟會員。與日本Victor唱片、日本Columbia唱片以及Tcherepnin樂譜出版社有合作關係。興趣爲作詩、旅行。

各位「老同鄉」（蕃薯的子孫）們啊！不要再妄自菲薄了，我們不是還有過如此傑出的前輩嗎？

許多人僅用狹小的36,000平方公里的島嶼視野去探討事物，或者企圖堆在「日本的近代化」遺產的上層就可解決「台灣問題」的淺見。我想，還是早日拋到臭水溝吧！

4. 雪嶺就是鄭松筠嗎？

台灣人所寫的關於霧社事件的論文，我目前所讀到過的有〈霧社番人蜂起的真相與我們左翼團體之態度〉（《新台灣大眾時報》1931年3月號所載。這可說是殖民地時代的出版論文之中整理的最好的一篇）。本論文的作者署名雪嶺，但雪嶺是誰卻不得而知。前年〔1969年〕，我趁著相隔14年回到台灣考察旅行的機會，以500美金的巨資購入《台灣民報》做為亞洲經濟研究所的藏書。意外發現在其創刊號最後一頁的本社（當然是台灣民報的發行所台灣雜誌社）職員欄的幹事，會計主任一職上，記載著「鄭松筠（雪嶺）」的文字。這一發現又讓我深感資料的珍貴與價值了。

為了慎重起見，我調查了《台灣人士鑑》的記載，並沒有關於文化運動與社會運動上的相關記述。於是，我又調查了《台灣人士鑑》的《台灣新民報》日刊五周年的紀念版（1937年發行）。

果然有了。在「鄭松筠」一欄中，除了記載著「雪嶺」的筆名，活動事蹟方面也有著「過去曾參加台灣的文化運動並有相當程度的貢獻」的記載。順帶一題，鄭先生於1891年生於台中豐

原，求學期間歷經國語學校、明治大學，於1922年7月律師考試及格，1923年8月起開始執業。上述的論文作者雪嶺若真是鄭先生的話，鄭應該是利用在台中執業的地利之便，取材著述的。想到這個推理頗有成立的可能，不禁對於自己多年舊書堆中尋寶的功力感到自負，亦可謂樂哉矣。

本文原刊於《暖流》第13號，東京：東大中国同学会，1971年4月，頁17～21

「含笑」花開記

◎ 林琪禎譯

對我們台灣出身者而言，含笑花是故鄉的花，也是象徵母親的花。

雖然還沒到寫回憶錄的年齡，不過回想起來，從我1955年秋天赴日以來，一直到1965年〔1966〕春天研究所畢業這段約十年的期間，幾乎不曾對台灣有感受到過什麼鄉愁。

也許是因為母親早逝，再加上繁忙的留學生活，讓我幾乎忘了對故鄉的眷戀也說不定。

1965年初，因緣際會下，我們一家三口決定留在日本生活。既然決定要留下來，就必須為原本放在研究室的書，以及即將出生的新生命，準備足夠的安置與生活空間。

在我的周邊，當然沒有願意用便宜的房租將房子借給我們這種擁有數千冊書與兩個孩子，「狀況特殊」家庭的「貴人」。而當時出租公寓的房租價位，對於仍屬於低所得、不安定階層的我們來說，實在不是可以負擔得起。

最後想到的辦法，就只剩下借錢買一間便宜的房子。這就是我會選擇在川崎市生田之丘落腳的緣由。

選擇在哪裡落腳其實都無所謂。不過這個房子卻和我那被勾起的鄉愁，有著不小的關係。所以再讓我畫蛇添足吧。當年，生田之丘的山麓下還看得到水田。某天趕路回家時，一股濃濃的稻禾收割後的氣味，就這麼撲鼻而來。

這十年來，我連收到父親的訃聞，都沒有要回家的打算。不曾有過思鄉之情的我，這次竟然被稻香給挑起了鄉愁。

也是這個時候，我開始起了想要在家中那小小的庭院裡，種些台灣的蔬菜或花卉的念頭。

我在庭院一角栽種了用客家話說是「七錢察」，福佬話則寫成「九層塔」的植物。就形狀來看，「九層塔」倒是正如其名地貼切。身為一名No（農）學士的悲哀，在無法順利地查出植物的學名時，特別感受深刻。不是逃避責任，不過要歸咎的話，還是要怪殖民地的教育吧。著名的大作《農家便覽》之中也沒有關於「七錢察」的記載。

查了一些資料，發現福佬人似乎偏好「莞荽」（香菜），而不太喜歡「九層塔」。

客家人常用「七錢察」挾著家鴨的肉片沾醬油吃，一大絕配也。家姊會將「七錢察」加入豬肉熬底的味噌湯中以增加風味。這些都是別有風味的料理。

題外話就此打住吧。1970年的春天，我們離開了生田之丘，搬到了西習志野。搬家的主要理由，還是要為了不停增加的資料找個安置的空間，同時也為了順應內人林彩美強烈希望種植「莞荽」、「甕菜」、苦瓜、金瓜、菜瓜等的要求。

和生田相比，西習志野的地價約只有一半，因此房子的占地

寬廣了不少。我們家裡偉大的財務大臣可以揮汗如雨地務農面積，也因此大幅擴張了。

至於當我想到要在庭院裡種些什麼的時候，直覺想到的，就是「含笑」了。

勾起鄉愁的，大概就是母親的料理以及發生於母親身邊大小事物，應該不只我一人這樣覺得才對。

年幼時期老家的前院中，種著一株巨大的含笑。堂姊妹們在初夏時節的早晨，摘下含笑花，插在頭髮上代替香水的畫面，至今仍記憶猶新。只是不知為何，母親對於堂姊妹們用含笑花妝點自己的行為，似乎不怎麼喜歡。

拒絕纏足的客家女子有哪些傳統美德，在此先略過不論，只是一般來說，客家的女性是比較禁慾的。母親對於抽煙、塗口紅、在臉頰上畫腮紅的女性，向來沒有好感。在這樣的氣氛中成長的我，一直到高中二年級，都還以為只要是吸煙的女性，都是賣春婦之類的風塵女子。

當這樣的誤解逐漸解開之後，我開始向父親提議，希望家中的庭院也能種上和老家一樣的幾株含笑。但父親始終頑固地不願答應。於是我在自己房裡，也只好靜靜地聞著乘著南風飄散過來的淡淡花香了。只是，梔子花（或是桂花）的花香是整株的花香，不像含笑花各朵都具個性的香氣。

台灣具代表性的花，當然不只含笑而已。還有鳳凰木、扶桑花（又稱朱槿）、蝴蝶蘭等都很有名。

蝴蝶蘭是賞蘭人士與名流階層愛好的蘭種之一，在日本也有交易的市場，因此知名度不低。

　　扶桑花好像只種植到關西，而且還是因為曾經與台灣有關係的人士熱心栽培的緣故，最近也可以逐漸在花店看到了。

　　只是不知為何，就是含笑沒造成什麼話題過。難道是因為不同的民族對香氣的喜好也有所不同之故嗎？

　　日本人喜歡吃木瓜的情形，在台灣人眼中看來，是有點不可思議的。只是去年在曼谷吃到的木瓜，其美味也讓不是日本人的我，感到十分驚豔。

　　日本人吃的香菜，可舉鴨兒芹為代表。住在生田的時候，家中的「務農者」將順利收成的莞荽送到隔壁的W家去，就讀某美術大學的長男（我是他的保證人）出來開門後，直率地對阿姨（內人林彩美）說這菜好臭，而讓她深受打擊。至今我仍忘不了內人那因此鬱悶不樂的臉龐。

　　這個例子告訴我們，所謂的「親切」，很多時候只是自己一廂情願的想法而已。

　　由於最近我將代表台灣的花（也許只是我個人的喜好）種植成功了，因此這兩週我也將此花很親切、帶點自負地，一朵兩朵地送給身邊年輕的女性。她們大多說此花有類似蘋果花的香氣，卻不知道這是栽種區域最北、只到南關東的「ogatama」的花。

　　種在我庭院之中的含笑，也許也是其中的一種吧。這是我這個No學士的推理，加上日語以外來語稱之的「バナナシュラブ」（Banana shrub）線索所下的推論。手邊沒有植物大圖鑑，只能這樣推理是遺憾又無奈的事。＊

＊　玉蘭花學名：Michelia albaDc，含笑花學名：Michelia figo（Lour）Spreng，兩者皆為「鳥心石」（Michelia），並同在「木蘭科」（Magnoliaceae）。

話題或許又有點跳躍了，在某個偶然的契機下，我得知了總武線沿線也能種植含笑一事。

這幾年我為了展開台灣知識分子論而默默地蒐集了一些關於台灣知識分子的資料以及閱讀相關雜誌。在這個過程之中我讀到了賴明弘在《台灣文藝》第二卷第二號（1935年2月1日）之中所寫的一篇題名為「訪問郭沫若」的文章。

我記得當年大約是1968年的暑假吧。在賴的文章中，提及郭位在市川的隱居之處，庭院之中就種著含笑，當時讀到此處的我，著實感到十分地驚訝。

1970年的夏天左右吧。我和香港中文大學的陳荊和博士與戰後不久就投入了霧社事件的研究，現在在台灣的中央研究院民族研究所研究民間宗教的劉枝萬先生，有過一夜促膝長談的機會。

聊了不少話題後，我們講到戰前吳場先生（林以德、以文兄弟的姊夫）在總武線沿線經營中學，招收台灣學生的那段歷史。

由於想要更深入地了解這段往事，因此事後詢問了以德夫人，卻很意外地從以德夫人口中，聽到了吳場先生是多麼辛苦地栽種含笑的軼事。

改天再深入為各位介紹關於吳場先生的學校經營，以及上期在本誌之中稍微介紹過的關於周再賜先生的教育事業等事蹟。得知除了我之外，也有台灣人的前輩也曾經被含笑迷住，便覺得十分開心。

很可惜，關於種含笑花的事，還沒有機會直接請教吳先生。

主要是由於太忙的關係，所以才會一直抽不出時間去拜訪林家。

今年春天，趁著在大阪演講之便，順道訪問了陳舜臣先生的新居。相隔幾年不見的陳先生，身體卻愈見硬朗。看到健康的身體正是他健筆的根源，感觸頗深。

與陳夫人談到園藝的事，就聊到了含笑。夫人似乎也是含笑的愛好者，還拿出了一盆從老家拿來的樹枝插枝長成的小含笑木給我們看。

知道含笑的同好其實不少後，我的心情確實也跟著開朗起來。

目前，以我利用空檔查來的知識，以及我非No學士而是農學士的氣概，正打算以接枝法或插枝法來增加我家含笑的數量。

不過話說回來，為什麼大多數的日本友人（若僅算我身邊的人則是100%），都不知道含笑花呢？是因為對於香氣的喜好不同呢？還是因為對氣溫變化反應敏感的含笑花，香氣有時候就這麼悄然地淡去了的關係呢？

我在尖峰時段擠滿人的電車上，放在上衣胸前口袋散發香氣的含笑花，卻在到達工作的研究所後，完全失去了香氣（也許是因為這天氣溫低的關係）。此事近來令我們不含笑而是苦笑。讓趾高氣揚的我感到挫敗的是這性情多變的花，也許就是它不討人喜愛的原因吧？我雖然成功地讓含笑開了，可是關於它的謎，仍然不勝枚舉。

本文原刊於《暖流》第14號，東京：東大中国同学会，1972年8月，頁73～77

客家風俗
——舊曆年三題

◎ 林琪禎譯

一、「過年（越南的）」與「春節」

　　住在世界的大都市東京，因為暖氣、溫室栽培的蔬菜水果與花卉的關係，喪失季節感。再加上原本平和的「春節」，因為回想到越戰的「春節攻勢」與「春節停戰」，而多了不少火藥味，難免遺憾。

　　在我們這些出身農村的子弟心中，舊曆新年是從舊曆臘月的16日，「尾牙」（一年的最後工作天）開始，一直到正月15日的「元宵節」才結束，整整一個月的休假，也是慶典。

　　由於農業社會正值農閒期間，因此可以放一個月的長假。不過在現在的中國大陸與台灣，官方皆將舊曆新年定為國定假日的「春節」，從元旦休假到三號左右而已。

二、甜粿與長年菜

　　台灣和日本一樣，年糕和年菜是不可或缺的。

但是台灣的年糕和日本不同，不吃煮的年糕。其中，以糯米碾製加糖蒸熟的甜粿，可以說是台灣式年糕的代表。甜粿可以用油煎後直接吃，也可以淋上蛋衣下鍋油炸，或捲冬瓜蜜餞一起吃。

發粿則是祈求幸運的年糕。它吃起來的感覺像是蒸麵包，製作主要以在來米為原料，以水碾磨後加入糖與酵母，再放入蒸籠蒸出類似雞蛋糕的成品。「發」代表發財，是期望財源廣進的意思。

菜頭粿則是春節期間的點心。將在來米加水輾磨之後，加入香菇、蘿蔔、蝦米等配料蒸熟製成。菜頭粿可以用油煎，或加入湯中一起吃，散發出來的蘿蔔香味，是一道絕品。

最後一道應景年糕是菜包，可說是用米做成的饅頭，包著炒過的肉與菜蔬。「包」為包金即存金之意，是吉祥的意思。

類似日本正月料理是長年菜。長年菜就是以芥菜、大芥菜等蔬菜，加肉燉煮的料理。春節期間每天都重新加熱來吃。長年菜指涉長壽之意。

另外，春節的慣例是，為了拜年的訪客，因此在除夕前日把雞鴨魚肉都調理好，盡量在過節時不要因此忙不過來。

三、春聯與爆竹

春聯是正月的時候，在自家門口兩側貼上以紅紙墨書的吉祥話。內容多為關於自己家族的，或關於自家店號與個人職業的祝福。其中，也有像是妓樓「一雙玉手千人枕，半點朱唇萬客嚐」

不登大雅之堂的對聯。

　　最能製造春節氣氛的是爆竹。《故事群芳》如此描述：「西方山中有人，長丈餘，人見即病，名曰山臊。每以竹著火中，聲響即驚遁。後人束紙為之，納以俏黃，是其遺俗。」從前將竹子丟入火中使其爆發聲響，以驅趕疫病，並非只為了氣氛而製造聲響的。又因為使竹子爆炸之故，所以至今尚稱爆竹，並非牽強附會。值此春節之際，溫故知新，豈不快哉！

本文原刊於《所內報》第29號，東京：アジア経済研究所，1973年2月，頁8

絲瓜是可以吃的

◎ 林琪禎譯

　　梅雨季過後，關東附近的絲瓜紛紛開始綻放出黃色的花朵。

　　我認為絲瓜所開的黃花頗為漂亮，值得細細欣賞。垂落於棚架上的絲瓜，細長的身形，伴著斜陽的夏日風情，煞是可愛。絲瓜棚下也成了許多人夏日乘涼休憩的好去處。

　　如今在日本的絲瓜大多已經被降格（？）改以片假名「ヘチマ」（hechima）表記了。據說原本絲瓜是從中國傳來的蔬菜，《本草綱目》、《瓜果疏》、《救荒本草》等古書中皆有關於「絲瓜」的記載。在華南與台灣多稱菜瓜。絲瓜應該是自明代開始稱作菜瓜的，因大為普及後，成為庶民的「日常食用蔬菜」之故吧。

　　在強調回歸自然的今日日本，若提到絲瓜，各位所想到的大概就是絲瓜化妝水以及浴室與廚房用的絲瓜刷子吧。其實昔日──是多早以前雖然並不是很清楚，但絲瓜至少在文政4年（1821）時就已經存在於日本了。生的絲瓜「以油炒熟加入味噌湯中食用」，絲瓜水也不是如今時髦的絲瓜化妝水，而是有如下述的種種妙用之物：

做為藥用也有許多效果。如能以之代替發燒患者解熱用之冰塊，煮濃稠後加以少量冰砂糖服用，對化痰頗為有效，塗於燒燙傷之處，亦能加速復原。（《農業大辭典》，日本評論社，1934年）

不知是否因為不合日本人的口味，或者因為日本的蔬菜種類變豐盛之故，在扶桑之國日本的絲瓜就此被冷落了。沒有成為食用的菜瓜，卻而成了以片假名稱呼的ヘチマ，主要的用途也多在工藝品的製作之上了。

利用絲瓜纖維所製造的浴室廚房用品及相關的工藝用途，這些和在中國的用途是一樣的。只是在中國，絲瓜還是以「常蔬」這種日常食用蔬菜以食用為主，絲瓜刷製品等的用途為輔。

中日新的交流也滿好，在如今這個農藥公害與食糧危機的呼聲逐漸升高之際，筆者決定以「溫故知新」的心情，為各位介紹絲瓜的調理法。

1、薄薄地削掉絲瓜的皮，切成0.5公分左右的半月型。

2、在預熱好的鍋中倒入一點食用油，先爆蔥，之後再將切片的絲瓜入炒。

3、將絲瓜炒透，接著倒入熱水或熱湯（以雞骨熬的雞湯尤佳），熬煮至軟，最後加入些許鹽或調味料調味。

4、可以個人喜好將絲瓜佐以豬肉、雞肉或吻仔魚乾調理，皆別有一番風味。

本文原刊於《日中経済協会会報》第3號，東京：日中経済協会，1973年8月，頁17。以筆名「樓外仁」發表

在交流上的「義」與「情」

◎ 陳仁端譯

　　從戰敗的廢墟上逐漸站起來的日本，是在1954年重新開始實施國費留學生制度。

　　在那第二年我並不知道有國費留學生制度就來到日本，做為一個私費留學生，從1956年開始在東京大學學習了大約十年。

　　博士課程畢業後，我承蒙尊敬的日本人師友的厚情，進入特殊法人亞洲經濟研究所服務，這可以說是很「幸運」而罕見的例子。從那時開始，我一直從事於台灣經濟、東南亞的華人（僑）問題、中日關係史為主題的研究工作。

　　我在日本包括留學在內的生活體驗，可以說是從旁斜眼觀察戰後日本的留學生制度以及快速回歸亞洲過程之累積。

　　從這個生活的原點來看日本人和亞洲的關係的時候，真覺得有很多感慨。

　　包括接受留學生在內，日本人和亞洲的接觸大體上似乎可以歸類為以下三種情形。

　　第一，認為亞洲本來就沒有什麼文化，有的頂多是土俗或民藝而已，完全把亞洲看成落後地域，而只管把自己的臉朝向歐美

的人。

第二，生活在「亞洲是一體」的情感裡，完全忘記了「義」而沉溺於「情」的人。

第三，既重「情」又絕不忘「義」的人。

屬於第一類的不值得一談，而屬於第二類的人又何其多啊。遺憾的是屬於第三類的人只能被當作是奇特的人而允許存在於日本社會。

最近有高喊「光是經濟進入是不行的，應該致力於文化交流」的聲音，探索其底層的水流充其量不過是上述第一、二類人們的新動作而已。正是經濟擴張引起了反抗和摩擦，「文化交流」才被當作是緩和摩擦的手段而受重視。

本會理事長穗積五一先生是既重視「情」又重視「義」，想要和亞洲的人們堅強地一起活下去的人。冒昧得很，我認為要孤立穗積先生也好、尊敬他為奇特而有良心的人也好，已經不能把日本人從「孤兒化」的困境中救出來了。

「物質」和「日圓」買不到民族的心，缺少義的「情」一時性的溫煦氛圍，也不可能成為真正的心與心的接觸。

本文原刊於《研修》第155號，東京：財団法人海外技術者研修協会，1974年1月，頁5

關於孩子鋼琴課之我思

◎ 劉靈均譯

　　現在的孩子們，從玩遊戲到學習，大人們似乎都管得太多了。特別在教育社會化後，從近來的狀況看，學校教育的機能幾乎已經變成完全接續家庭教育的機能，雙親出場的場合極端地被縮小，讓世間父母困惑不已。而電視的出現，更在物理上奪走了親子對話的時間。

　　當然我們家也不能例外。但是我們不會因為沒有出場的機會，就購買練習簿之類強迫孩子們寫。那麼我們能做什麼呢？

　　以透過日常生活作息的接觸與「教養」以外的部分而言，買書給孩子們（雖然可以的話很想陪他們一同閱讀），給他們補給知識的刺激，並讓他們的「夢想」不斷膨脹，就已經相當足夠了。

　　此外，因為只要每月分期付款即可購得，我們也買了鋼琴讓孩子學彈。

　　朋友某天來到家中，看到客廳裡的鋼琴，便問道：「你也變成呆頭爸媽，開始為孩子進行情操教育之類的嗎？」

　　我們夫婦倆輕輕一笑，便要孩子們彈個一兩曲。

　　坦白說，我們並不是為了外面說的音感教育或情操教育而讓孩子學琴。我們並不是——注意外界動向的「常識人」。其證據之一，就是我們未曾把孩子們託給熱心於鋼琴發表會的老師，所以至今一次也沒舉辦過。

　　由於筆者「有幸」未曾經驗「發表會」，所以至今仍然不知道「發表會」的實際狀況。當然也因為不知道實際狀況，所以不能臧否議論之。但是如果像外面一般所傳的，發表會是由毫無撙節的參加費與置裝費，以及打扮華麗的媽媽們聚會的話，這樣的發表會與我們一家子恐怕是無緣了。

　　孩子是爸媽的所有物、是「東西」這樣的概念現在已經日益過時了。

　　我認為，不管是兒子還是女兒，每個人各自做為獨立人格而存在，在各自歸屬的家庭、地域社會、民族，甚至是人類共同體中，都應該占有一定的位置。

　　也就是說，為人父母的我們，課題是如何從幼少期便開始讓孩子知道：自己存在於人類全體的聯繫，也只能存在於這樣的聯繫。

　　做為實際實行這項課題的手段之一，我們選擇了鋼琴。這也是因為我認為孩子只要有一定技術上的基礎，就能以音樂這樣世界共通的「語言」為媒介，讓他們盡可能獲得自己在這個世界上，做為一個普遍性存在的條件。

本文原刊於《たかさとだより》第54期，船橋市：高鄉小P.T.A.広報部，1975年1月22日，頁1

從周恩來的日本留學談起

◎ 李毓昭譯

　　成人之日（每年1月15日）前夕，位於東京駒込的亞洲文化會館（穗積五一理事長）照例舉辦以留學生為主的新年餐會。

　　我和往年一樣，帶著一升瓶裝的日本酒去參加。一腳踏進常去的理事長室，線香味就撲鼻而來。我嚇了一跳，仔細一看，周恩來的照片前面燃著香。我的眼角立時發熱。周恩來去世是件大事，而穗積先生在戰前、戰後都一直希望亞洲得到解放，始終照顧著亞洲留學生，其謙虛與真誠，實在令人感動。

　　共產主義者周恩來與線香的組合，在這裡完全不須在意。但曾經私下中傷，把周恩來住院的事說成裝病、政治病的評論者們，卻在這幾天擦乾口水又在電視節目上「堂而皇之」地變節出演，令人沮喪。相對之下，穗積先生則是在私下盡自己的心意，讓我得以確認日本還有可敬之人，而度過清爽的一晚。

　　各報競相評論周恩來的逝世時，必然會提到的話題是他的留日經驗。雖然資料不足，但他們似乎投入了相當大的心力。

　　依我的淺見，周生前並沒有明確地提到，留學日本一年半對他來說有什麼意義。中國人的留日歷史中，周的留日期間是從

1917至1919年，對他的同伴而言，絕非愉快的經驗。許多談到這方面的人都會談到不愉快的留學「季節」，以及日本這邊的待客態度。大家只是藉他偉大的總理地位，順便談起他的日本留學。這種情況讓人感到一絲淒涼。

目前有想成為周恩來第二或第三，從第三世界來的留學生，他們卻依舊受到冷眼與排斥。從現在開始還來得及。是否每個人都應該投入心力，不再為與自己所作所為的無關成果老王賣瓜、自我陶醉，而是為第二、第三個周恩來候補開啟門戶，伸出溫馨的手，準備好接受留學生的對策與環境呢？

本文原刊處未能查知，係由日本「共同通信社」發稿，1976年1月23日

關於夫婦異姓

◎ 李毓昭譯

　　目前《民法等一部改正案》可望遞交國會。此法案一旦通過，女性離婚後就可以不恢復舊姓。雖然內容只是稍許的修正，但還是值得高興。

　　中國人結婚後並不會被迫改姓，所以根本無法理解民法第750條中夫妻一定要同姓的規定。也有不少中國女性認為姓氏是自我人格的象徵，結婚就要改冠夫姓（日本幾乎都是如此）是一種侮辱。相反的，習慣冠夫姓的日本人社會就無法理解旅日中國人夫妻不同姓氏的情況，而造成很多誤會。

　　去年有一戶人家的小孩申請某著名的私立中學。家庭調查書上，當然依中國人的習慣寫著不同姓氏的父母親名字。後來才知道，校方竟然以「為了維持本校校風，無法接受同居家庭」為由，沒有錄取他。這實在是讓人無法以玩笑視之的悲劇。

　　還有某對夫妻為了讓郵差方便，而在門口掛上有夫妻兩人名字的名牌。本來相安無事，附近的三姑六婆卻開始嚼舌根。「那對夫妻感情不錯，竟然只是同居而已」的流言傳開來，那對夫妻受不了，為了化解誤會，還必須拿蔣介石和宋美齡、孫文和宋慶

齡，甚至毛澤東和江青夫婦不同姓氏為例來說明。

說到這裡，筆者也有一兩個苦澀的經驗。

我剛進目前任職的研究所時，有一天聽到擔任會計的女同事氣憤地說：「戴先生這個人竟然沒有和太太結婚，太不像話了。」頓時嚇了一大跳。又譬如去年，或許是因為正逢國際婦女年，來自女性朋友的抗議更加嚴厲。事情的發端是內人以冠有「戴林」兩方的姓名，在某雜誌開始連載「戴夫人的烹飪」專欄。

編輯部要求非用「戴夫人」標題不可，內人萬不得已，只好給自己的名字加上我的姓。這是因為既然是戴夫人，只有自己的姓名是說不過去的，而且被叫成「林夫人」會更好笑，所以就這麼妥協了。

不知內情的朋友至今仍指責筆者愈來愈像日本大男人主義，令筆者不知該高興還是難過。

本文原刊處未能查知，係由日本「共同通信社」發稿，1976年2月20日

參加文明懇談會有感

◎ 李毓昭譯

　　文明問題懇談會（會長為京都大學名譽教授桑原武夫）是
文部大臣的諮詢機構，於去年〔1975〕3月13日成立。今年3月13
日，以最後的討論會和大臣主辦的晚餐會結束一年的會期。

　　此會剛成立不久，我就從新聞報導得知，而覺得這位文相
〔譯註：相當於台灣的教育部長〕不愧是有特色的學者出身，行
事別具一格。

　　但是我做夢也沒想到，竟然會輪到我去擔任專門委員。

　　老實說，接到就任的請託時，我內心的不安大於高興。因為
以旅日的中國人研究者身分就任日本政府的委員，其中的意義我
猶疑於要如何定位，也不曉得自己能否勝任，而感覺到些許不
安。

　　等拿到了顧問委員名冊，了解到裡面的成員形形色色，組合
特殊後，我做為一個外國人所產生的好奇心，就將之前的困惑和
不安驅走了八成。

　　我於是把其餘的兩成當成「下注」時得支付的風險代價，而
決定參加。

　　從市井三郎、井深大、梅棹忠夫、梅原猛、京極純一、都留
重人、朝永振一郎、藤井隆、松田道雄、山本健吉、湯川秀樹、
田中美知太郎、吉川幸次郎等諸多成員的組合可知，這些顯赫人
士的發言和討論，不僅是一家之言，連百家之言都稱得上，大有
百家爭鳴之觀點。嚴肅中帶有幽默，讓人得以從激烈的批判中感
覺到溫馨的人性，正符合對話的本質。

　　至少就「文明懇談會」來說，「沉默是金」的格言是不適用
的。而此會不僅沒有與文部省結成一氣，還三番兩次在大臣、事
務次官、局長等文部省高官面前提出相當辛辣的批判。

　　據說會議紀錄將於五月中由中央公論社公開出版，希望讀者
諸君能仔細品味。〔參見《全集13・亞洲與日本文化》〕

　　會議結束時，我的感覺是，文部省似乎有意繼續召開這種懇
談會。

　　但願他們屆時也能邀請旅日韓國人的有識之士，以及年輕一
輩的建築家、音樂家參加，要是能形成另一種「風味」，應該會
很有意思。這是我目前的想法。

　　　　本文原刊處未能查知，係由日本「共同通信社」發稿，1976年3月
　　　　19～20日

祓褉與再生是同根生

◎ 李毓昭譯

　　在一個鬱悶的初夏夜晚，我與來自東南亞的記者B先生飲酒。

　　我們聊著聊著，談到洛克希德事件〔譯註：指田中角榮前首相有關的賄賂醜聞〕，以及包括政變在內的自民黨各派諸多動向。

　　話題漸入佳境時，B先生忽然說：「啊，對了，有件事要問你，大藏省大臣大平正芳的祓褉重新出發論的『祓褉』是什麼呢？」

　　由於問題來得太突然，我覺得不易說明而一時語塞。

　　我曾在殖民地台灣受過軍國主義教育的洗禮，知道祓褉是什麼。不僅如此，也有過只穿一條兜襠布在河中清流實際領受的經驗。

　　現在想來，在台灣下令進行祓褉者的特殊邏輯是希望洗去台灣青少年具有的中國人意識、中國人本身的原罪和污穢（殖民地主義者有其持續這麼想的理由），使其成為「堂堂正正」的皇民。而他們心目中的祓褉似乎也是透過這道程序來進行神靈附體

似的戰勝祈禱。

話說回來，我當然不認為大平先生所提倡的祓禊有軍國主義加神靈附體的性質。可是以祓禊淨化身體再重新來過的思考模式或審美觀，絕不是大平先生一個人所專有的。身為中國人的我對其中的意義很有興趣，但B先生對這方面就很難理解了。

有一些老兄在這兩三年一直在摸索與亞洲應有的關係，反省昭和的50年，鼓吹日本的再生。

基於對漢字的語感，身為中國人的我對「再生」一詞反感，一直建議可否用「轉生」來取代再生。

可是，在日本似乎沒有「轉生」這種用法，也沒有人接受。

深入去想就會知道，日本人所謂的「再生」有先斬斷過去，再重新做出什麼的含意。

而就我的理解和用法，「再生」是指有個美好的原點，先回到那個原點再重新出生。

以亞洲人的立場來看，根本不會希望昭和的50年「再生」。因此，希望日本人「轉生」可以說是我們一般人的心情。

可是祓禊重新出發論是日本人意識結構的產物，再生的邏輯也是同根生的，依日本人本身的日常性，或許並不覺得奇怪。醉意漸濃陶然之際，忽然有此想法。

本文原刊於《高知新聞》，1976年6月23日

與舊書店的交情

◎ 孫智齡譯

　　想想算起來，和舊書店的交情已足足有30年了。

　　雖然我不喜歡念書，卻對閱讀情有獨鍾。或許因為如此，我和舊書店打交道的時間，可以追溯到初中三年級時。

　　當時是1946年，從台灣回國的日本人，為了換口飯吃或整理手邊物品而脫手的雜書還留在台北的市場裡。

　　印象中同一年年底，為了蒐集那些書籍，於南昌街（為了紀念兒玉源太郎總督而命名的舊兒玉町）開起舊書店的店家就有三間。

　　大概是我比較早熟吧！當時買的書，至今仍有印象的包括河上肇的《貧乏物語》、《第二貧乏物語》、三木清的《哲學筆記》〔《哲学ノート》〕以及西田幾多郎的《善的研究》〔《善の研究》〕等。

　　前兩本總算看完了，後兩本可以說完全看不懂。

　　我會經常造訪舊書店，其實原因之一是為了尋找一本書。

　　那就是矢內原忠雄的《日本帝國主義下之台灣》〔《帝國主義下の台灣》〕。我之所以會尋找這本書不是因為知道它是一本

名著。而是想起在京都第三高等學校念書的堂哥，偶爾暑假回國時帶回來的該書被基隆海關人員沒收了而引起我的興趣。

真正開始尋找該書是1955年秋，來到日本之後，我始知它是一本名著。

第一次看到原書是在大學的圖書館裡，但我實在太想要自己也擁有一本了，於是在本鄉附近，還有神保町一帶，一有時間便逛書店找書。

和日本的舊書店來往，事實上也就從那時候開始。也因為如此，我才知道有舊書會館的存在，以及隔週舉辦的舊書現賣展覽會。直到現在我還都會去。

這段時間，我從一名顧客到如今彼此成為知己的舊書店老闆或店長，大概也有五位吧！

不過，最近舊書展覽會裡出現了一些改變。為了防止小偷順手牽羊，會場上開始提供幫顧客看管手提行李的服務。這對提著手提包而感到不方便的人或許是一大福音，但對自尊心甚高的老先生們來說，聽說似乎不太愉快。

小偷會出現在會場上，可以說是金錢至上的時潮使然，就連舊書展覽會場這麼狹小的世界也受到波及。

然而，對於這些貪婪的傢伙早就出現在舊書店業界內部，業界是如何看待這問題呢？說不定這些「小偷」也暗地裡想「受到金錢至上的影響彼此彼此」而在偷笑也未可知！唉，真是讓人傷腦筋的世道啊！

本文原刊於《北海タイムス》，1976年7月22日

狐狸不要笑貓

◎ **李毓昭譯**

　　中國有一句俗諺「狐狸不要笑貓」，我想可以說是彼此差距不大，不要互相嘲笑的意思。

　　我看到第二次公開外交文件中的傑作有「責怪隨地小便」一事，一方面是因為8月15日快到了，而想起上述俗諺。

　　當時離1945年8月15日已經有兩三年。

　　逃避大陸內亂來到台灣的國民黨大官子弟也進入我們的高中就讀。

　　他們以自重慶歸來的「抵抗者」〔譯註：指抗戰者〕為豪，而我們嘗過身為殖民地少年的痛苦，對光復（回歸祖國）所抱持的過度期待轉瞬即逝，開始對當局接二連三的失政幻滅，與他們之間不斷出現感覺上的差異。

　　有一天，大陸出身的同學和台灣出身的同學在討論對日本人的觀感。

　　一名大陸來的同學說日本人很野蠻，隨地小便就是一個例子。

　　台灣出身的T曾受過殖民地警察的傷害，不知道怎麼的，竟

轉變態度，想要為日本人辯護，而激動地反駁說：「你胡說些什麼，你們大陸人用手擤鼻涕的事怎麼說？那不算野蠻嗎？」

愛湊熱鬧的我覺得很有趣，立刻策劃一場辯論會，題目是：「隨地小便和用手擤鼻涕哪一個比較不衛生，比較野蠻？」

唇槍舌戰的「大」論爭沒完沒了。雖然事實很明顯，但還是經過五個小時的激辯，才得出最後的結論：「兩種行為都不可取」。

這時候，不知道是誰巧妙地說了句「狐狸不要笑貓」、「半斤八兩」，引起眾人大笑。

幾年過後，來日本留學的筆者知道了可以用日語的「眼屎笑鼻屎」來表示同樣的意思。

研究外國或批評外國的言論中，經常看得到肆無忌憚的眼屎笑鼻屎作風。

狹隘的國家主義者往往掉進「眼屎」的陷阱而不自覺。

在張「大口」批評之前，似乎最好還是以比較的觀點，冷靜地觀察，再提出看法。可是要從「眼屎」之輩脫身並不容易。今後我也要不斷努力，才能盡可能不淪為嘲笑貓的狐狸。

本文原刊於《岩手日報》，1976年8月14日

金牌的囚犯們
—— 奧運雜感

◎ **劉靈均譯**

　　蒙特婁（Montreal）奧運結束了。用彩色電視機觀賽的人可能還陶醉於色彩斑斕的開幕式與閉幕式，並且沉浸於「新魔女」〔譯註：日本女排在蒙特婁奧運中5戰全勝奪取了冠軍，而且每場比賽均以3：0的比分取勝，且在這5場比賽的總共15局中，只有1局被對手得分達到兩位數〕大顯身手的喜悅。

　　然而，因為IOC〔譯註：國際奧委會，Internation Olympic Committee〕放逐「ROC」，並且由於稱呼問題台灣因此棄權，而非洲各國也為了抗議紐西蘭派遣橄欖球隊赴南非交流而杯葛不參加奧運。善良的人痛心於他們用政治介入冒瀆了「崇高奧運精神」的種種行為。

　　但那些深信政治不能介入體育乃至於奧運的新聞從業者或有「良識」的人士們，究竟有沒有從根源質問他們所謂的「政治」是什麼意思呢？提起「政治不介入」的口號，用好聽的話包裝使之四處流傳的本尊無他，不正是最努力將「政治」帶入體育世界的人，以及其末流與亞流嗎？

政治不介入奧運？

　　我認為，做為世界公民的我們同時也是觀眾，不需要為「年輕人的祭典」這樣光彩奪目、有魅力的「題目」所迷，甚至不用應和著所謂「政治不介入」的神話與大道理。會這樣說，是因為如果翻開過去的歷史，我們很容易發現，運動與戰爭、近代奧運與國際政治的關係，仍然有著難以切割的關係。冷靜地看，由於現在奧運已經被金牌公害所污染，所以就連本來只是觀眾的我們，都好像成了獎牌的囚犯了。實在令人不勝唏噓。

　　雖然不能說全部，但有許多國家的相關人士都已遺忘其初衷（喔不，初衷這種東西可能本來就不存在），只把創造出一撮「藝人」，也就是體育的貴族做為其最大的生存價值，虛耗能量。

　　他們試著將國家培育選手（state amateur）、企業選手（enterprise amateur）、大學校隊選手（college amateur）硬是拉拔起來，利用他們去爭奪獎牌，做為讓「國旗」飛揚的「齒輪」。如果成功的話，「老闆」們便龍心大悅，對其大加褒獎，而善良的「草民」觀眾則不惜予以掌聲鼓勵。

　　然而，奪牌選手為了奪取那份「榮譽」（雖然我們很想說那實在很虛幻）不知犧牲了多少，被折磨到何種地步？恐怕遠非我們能夠想像的。在某層意義上，我們也可說是墮落到成了毫無責任感的共犯。

　　如果「齒輪」和「國旗」之間毫無矛盾的話倒也罷了，但若「國旗」的「大義」壓抑了「他者」，「主公」只把「他者」中

的菁英粹選出來，似施以所謂一視同仁的優待做為原則，試圖培養成「齒輪」使用時，偉大的「政治」虛構就誕生了。美國的黑人奪牌選手、蘇聯的烏克蘭裔奪牌選手可以說就是這樣典型的存在。

當然試圖突破這大虛構的「虛」，大聲主張自己並非「國旗」的囚犯者，在奧運史上也有少數幾個例子。柏林奧運當時，朝鮮半島上發行的《東亞日報》將馬拉松選手孫基禎〔譯註：孫基禎因為「日朝併合」，也就是朝鮮半島被日本併吞，所以必須以日本國籍參加第11屆奧運馬拉松賽，最後打破世界紀錄獲得金牌〕照片裡的他將胸前的日之丸國旗用大會贈送的月桂樹遮擋，當時的朝鮮報紙如《東亞日報》等以朝鮮國旗替代日本國旗主張自我的存在，因而報紙受到無限期停刊處分的事件算是比較舊的例子。此外最近的慕尼黑奧運中，美國的黑人奪牌選手高舉自己黑色的拳頭進行抗議，訴求著「Black is best」（黑最棒）一事則讓人記憶猶新。

此外本次大會中，以媽媽選手之姿第四次出賽奧運，奪得女子四百公尺金牌的選手依蕾娜・茨文斯卡（Irena Szewi□ska）（波蘭）在記者發表會上的發言聽來也可以說是「金玉良言」。她說：「第七個獎牌是由國家、國民、先生、孩子還有奶奶所得到的（順帶一提孩子正給奶奶照顧著）。」真是爽快的發言啊。

據外電報導，她也明白說，「我不是為了國家，而是為了我自己而跑的」，或許也有人會認為她的發言自相矛盾吧，但我覺得她已經盡全力說她能夠說的了。

她說出了自己與「國旗」間有矛盾龜裂嗎？甚至對國家培育

選手制度腐敗的結構提出抗議嗎？或許，她只是誠實說明，自己已經竭盡所能，磨鍊至今而已。

雖然說不清楚其背景，但比起後述蘇聯選手團，茨文斯卡的發言令人心曠神怡，留有餘韻。

姑且不論她的發言真意如何，我覺得，30歲的媽媽選手以49.29秒的傲人成績刷新世界紀錄及奧運紀錄，光是這樣社會主義圈子出來的「超人」的發言，就有千鈞之重。

光是找到了一位不為「國旗」所囚的女「超人」（實際狀況不明），就因此感到「有救」的，難道只有我一個人嗎？

真希望那些說著政治介入云云的所謂明智之徒，將所謂與政治手法小事化大的四處宣傳之前，能夠睜開眼看看真正的政治。

然而若要說政治介入，在所有的人種、民族能夠不被壓迫，不管在國內還是在國際，都能無貧富、膚色、信仰之差而受歧視，都能夠享受體育活動，參加競技之前，我認為還是繼續會有政治性的討價還價。因此在這層意義上，那些嘴上不經心地叫囂著政治不介入的「虛辭」之人，因為實在是太丟人現眼，希望他們自己收手才好。

守護既存秩序的「虛辭」是說再多都無法解決問題的。此外在今天與未來的時代潮流中，屈服於強者脅迫的「弱者」日復一日減少已經是趨勢；這些以所謂「明智」之徒自任者，應當把眼睛睜個十二分大，把這樣的趨勢看清楚些如何？

蒙特婁不用說是法裔加拿大人的「國家」魁北克的首都。據傳，主辦單位在不忌諱招致「惡評」的情形下，透過大會的演出而彰顯自己的「民族性」。我願意想在閉幕式中登場的也有加

拿大印地安人（Canada Indian）（筆者希望能使用在地加拿大人
【Native Canadian】這個用語），大概做為目下可能到達其展現
的一部分。

在閉幕式中，真正的主角，原住民的登場也是時代潮流的一
種顯現。然而也可視為他們被利用來當作這場秀的裝飾品。我深
切希望他們不被當成裝飾品的日子能夠早日到來。

而那天的「到來」，我想不是他人所能給予的，還是要靠他
們自己拓展才能實現吧。在地加拿大人的登場也可以說是一種政
治介入。

單就電視的實況轉播看來，報導相關人士似乎並未注意到這
件事情，所以不惜稱讚其係為史無前例的壯舉。大概因為他們不
想破壞觀眾的「夢」吧？或者他們甚至與那些「主公」一樣，由
於那些已失去「野性」、盛裝而被馴化的「半文明人」登場而安
心，只稱讚其「美」而已。

此外，因為說「台灣問題」是政治介入而受到惡評（？）的
加拿大相關人士，以及因另一個「政治介入」而無條件給以讚美
的那些記者們的嘴臉，大概只能苦笑吧。

我覺得自己變成彩色電視與場內色彩斑斕演出的「美」所囚
的囚犯在一瞬間即是夠了。為了不要永遠抱著這個囚犯的污名，
我特別在此記下。

比起體育，生活更重要

姑且不管政治介入的問題，「純粹」就體育面來看，筆者也

抱著許多疑問。特別是這次「令人驚奇的世界紀錄蜂擁而至」、蘇維埃國家的奪牌至上主義、不服判決而對裁判施暴、雖然數量有減少但因為使用禁藥而失去參賽資格的選手仍層出不窮等,再怎麼說都很難說出「崇高的奧運精神」這種恭維奉承話。

　　本來體育就是為了恢復個人甚至民族活力的一種有效手段,所以我們才如此關心。紀錄的更新也是在人類體育上挑戰人類能力極限,並且毫不懈怠、不斷努力之後的成果。那毫不懈怠的努力、使之開花結果的過程也應該讓我們感受到「美」,所以才會不惜給予達成這樣豐功偉業的人冠上「超人」的頭銜。然而以人類為名,我們可以說,讓我們無法安心送上讚美之辭並且鼓掌喝采的悲劇場面卻不斷造訪奧運界。

　　就算把奧運當作是四年一度的國際秀場,我們可以等閒視之,只用看馬戲團的心情看它就可以了。但事實上,獎牌至上主義已經以奧運為頂點,規制了許多國家體育的樣貌,這樣的問題已經十分嚴重。

　　明白指出問題的本質的,就是「比起體育,生活更重要」這席話。這席話像是一服清涼帖,是獲得110公尺跨欄冠軍的選手居‧德魯(Guy Drut)所說的。這句話由奪牌選手之口,而非敗者口中說出,使其意義更為重大。

　　本來應該只是手段的體育活動,卻因為獎牌公害,因而讓相關人士彼此間的疏離達到了極限狀態,讓許多體育選手逐漸變成了獎牌的囚犯。國家主義與重商主義的犧牲者已經夠多了──這樣的聲音可惜實在是太小了,有若游絲。

　　在已然爛熟的資本主義體制之下,忽視人的主體性有無限擴

大的趨勢，在這樣的體制下，業餘與職業選手的界限越來越小。本來我們期待社會主義體制下的體育相關人士能夠對這樣的情況提出反命題，但就連他們也遺忘了初衷，開始步上了「敵」方所鋪好的軌道，實在是不忍卒睹。

蘇聯的現代五項選手歐尼希成科（Boris Onishchenko）在西洋劍上動了手腳，而且與獎牌無緣後就不參加比賽，甚至是那些想要試著放水作假比賽的蘇聯工作員，不正是捉鬼的被鬼附身的最好事例嗎？

東德的女性也掀起了一陣波瀾，若真像她們所說的，從三歲開始就對小孩實行強烈訓練並使用肌肉增強劑，適用重量訓練的成果，若此事為真，恐怕也可以想見，東德也開始走上了（或者是已經走進）蘇聯的腐敗之路了。

此外，也傳出朝鮮人民民主主義共和國的足球選手，在預賽對蘇聯戰中，向主審扔瓶子這樣的暴行。如此般的消息令人心痛不已。

金牌真的這麼重要嗎？這恐怕不只是與獎牌無緣的芸芸眾生的怨言而已了。「奧運的意義在於參加」這樣的話已經愈來愈聽不到了，這也是因為人們已經成為獎牌的囚犯。

我所謂悲劇就是這件事。人們咒罵著補習班的風行，害怕培育出一堆「殘缺」的「博識者」或者「熟練的考試工人」。然而讓那些從三歲開始就進行過重的訓練，每天早上五點起來，練習八小時；對這樣不自然的「藝人」鍛鍊法居然完全漠視，這又是怎麼一回事？難道是因為這些「藝人」人數不太多所以無所謂嗎？

　　不論是國家培育的選手、企業選手、大學校隊選手，都只是像眼屎鼻屎般無足輕重的存在。問題在於，要怎麼面對沒有人性的體育活動。依不同看法政治介入或許只是枝微末節的事情。當下最緊急的，恐怕是以人類之名，回到根源重新自問：「我們是為了什麼進行體育活動，又是為了誰舉辦奧運的呢？」我看著電視上佛格森（Maynard Ferguson）〔譯註：加拿大爵士小喇叭演奏名家，在蒙特婁奧運閉幕式上表演獨奏〕演奏的實況轉播，一邊聽著那樂音，一邊這樣想著。

（8月2日觀看閉幕式實況轉播後）

本文原刊於《經濟評論》第25卷第10號，東京：日本評論社，1976年9月，頁100～103

獻辭的困惑
——日本式與中國式

◎ **孫智齡譯**

　　在文章中，以日本和中國的關係是同文同種的表現，可以說現在幾乎沒有了。

　　然而，部分的日本人，尤其是老一輩人的心情中，同文同種就如某種擺脫不掉的疙瘩，偶爾還會脫口而出。

　　一般而言，「同文同種」指的是「相同文字，相同人種。主要是指日本和中國而言」（《廣辭苑》）。單純讀字義的話，應該不必吹毛求疵的表現。但由於日本向中國擴張侵略的過程中，這句話曾做為政治性且侵略擴張的冠冕堂皇藉口的一部分，因此讓人產生過敏。

　　雖然簡寫漢字有所不同，但本字的確是同一個字。不過，就像很多人已指出的，在使用法與字義的解釋上，中、日間的確有所差異。

　　以筆者的情況來說，尤其是寫獻辭時，常會感到困惑。

　　將自己寫的書呈獻給朋友時，照理來說既然是在日本，又是以日文寫的，依日本式的寫法就好了，可是由於寫的是漢字，難免在語感上會覺得不協調，最後還是按照中國式的書寫習慣。因

為不這麼做，總讓人覺得不放心。

　　日本人的獻辭，習慣用「惠存」二字。我們送對方相片或紀念品時，也會用「惠存」二字。可是，呈獻自己的著作時，幾乎不會使用「惠存」二字。

　　取而代之，我們用的是教正、賜正、斧正、惠正、指正等用詞。蓋因並非只送給對方當作紀念品，而是希望對方能閱讀並給予「訂正」之故。

　　另外，寫對方姓名時，大都不寫其姓氏，只稱呼其雅號，若沒有，則寫名字。因為同姓的人太多了，無法立刻區別，而且贈送的對象是「個人」，而非「家族」。

　　不過，現在的日本人大多沒有取雅號，若以中國式的書寫方式，大多須拿掉姓氏而直接書寫名字。然而，日本的生活經驗告訴我，光寫名字又像讓人覺得有點失禮，最後是連名帶姓一併寫上，也算是一種妥協吧！

本文原刊於《愛媛新聞》，1976年10月6日，第4頁

相撲的國際化

◎ **李毓昭譯**

魁傑將晃的東山再起可以說是奇蹟，大相撲秋場所＊1就在他的活躍中落幕。

對這位之前從大關的位置跌落，卻能取得首次優勝的力士，我只能低頭致敬。

正因為像他這樣，即使墜落谷底，也有可能靠著精神力量和努力再度爬上來，筆者之類的人才會對相撲這麼著迷。

而個頭小的貴乃花能夠把高頭大馬的高見山為對手，不僅與他平等對戰，還能夠贏得勝利。這也是相撲帶給外國相撲迷的一種妙趣。

話說回來，使東加力士左右為難的「朝日山問題」到底怎樣了呢？與部屋＊2繼承有關的摩擦，可以說是新舊雜陳的問題，牽涉到相撲界的結構和體質，也是從那裡滋生的問題。

＊1 相撲一年有春、夏、秋、冬四次在東京兩國國技館與到各地方的巡迴演出比賽。

＊2 培養力士之處。

　　9月3日的相撲協會理事會修訂了一部分年寄[*3]名跡的襲名資格，亦即決定在財團法人相撲協會設立施行細則第48條第3項「若非是幕內『一場所』全勤的力士及『十枚目（十兩）[*4]』力士連續20場所、總共出場25場所以上，就無法成為年寄」之中，加上「具有日本國籍者」。

　　根據報紙報導，修訂當初的目的是要阻止高見山成為「親方」[*5]，長期防止外國人「加入」協會營運，以保護「國技」。

　　直率地說，這樣的修訂不論是對努力達到國際化的「大國」日本，還是對培育高見山、大張旗鼓引進東加人，做為國際交流的「賣點」，到國外巡迴演出而得到出色成績的相撲界而言，都是大壞形象的舉動。

　　要是一開始就將「國技」推崇為「神聖」的競技，而不只是日本人的看家本領，就不應該容許外國人參加比賽。

　　如果有票房價值就盡量利用，事後就丟開了事，而且有相撲界經濟動物的說法流傳到全世界，日本人的污名不就很難洗刷嗎？

　　筆者從以前就一直在說，要達到真正的國際化，就必須從改變日本，以及日本人本身的意識開始。

　　我之前一直在私下期待，如果日本最具有老舊體質的相撲界能出現高見山親方、金城親方（韓國籍），日本人有識之士所鼓

---

*3 退休之相撲力士、裁判等給予「年寄」股份，參與相撲協會之營運以及各「部屋」之力士養成。

*4 相撲選手的頭銜。

*5 對「年寄」的尊稱。

吹的國際化就得以往前跨進一步，達到真正的國際化。然而，我
似乎是看錯了，想得過於樂觀。

本文原刊於《京都新聞》，1976年10月13日，第15頁

中華料理

◎ 孫智齡譯

　　過了立冬，冬至來臨之前，平日難得碰面的朋友也會打電話來。

　　「今年的忘年會我硬是被推為幹事，怎麼樣，介紹一下哪裡有好吃又便宜的中華料理吧！」1960年代的前半期，大家選擇的重點還放在「便宜的店」。最近這七、八年，「好吃、新奇、有趣的中華料理」的「積極」型確實增加了。

　　不過這情況為期不久，從去年開始，讓人深深感到好像又回到「既便宜又好吃」的「貪婪」型。

　　姑且不論這些，我的家鄉料理能受到大家喜愛，這是令人開心的事。透過料理這種「風流事」，若能達到和平的國際或文化交流，我也非常樂意擔下替大家打電話給我熟識的店長、老闆或廚師這個「任務」。

　　向來，受到「惡友」們的感謝，我總是獨自竊喜。不過，這好像是我的錯覺。「惡友」K君這麼對我說：「戴君，自從認識你之後，我也變得講究飲食，為此可是花了不少錢哪！……」開場白就讓人感到來者不善。「然而，戴君你的親切，可以說藉著

料理，破壞、侵略、支配了我們的味覺，哈哈……」

受到突襲，我雖沒有感到太大的震驚，卻讓我陷入沉思。

侵略和殖民地統治藉著它的殘虐性從事破壞人性的行為。因此，只要是有心人都會反對。

然而，如果你問我有什麼侵略和統治對人類有益？我會毫不猶豫地回答，是料理的交流。

戰後，日本的中華料理能有如此盛況，似乎與中日戰爭有關！

還有，朝鮮料理、台灣米粉（米粉——原是華南一帶，甚至從那裡出去的南洋華僑共有的食品）能這麼融入日本人的飲食生活中，當然和過去殖民地統治的歷史脫不了關係。

此外，美國人會出現炸天婦羅、壽喜燒的愛好者，應該也和美國聯軍最高司令官總司令的占領期為基礎形成，相信不只我一個人這麼想。

俗話說，地方不同，物品、風俗民情也不同。過去，日本人嫌棄動物的內臟骯髒，而鄙視吃食內臟的我們為劣等的清國奴。如今則不然。看到他們和他們的「後裔」開心地聚在「雞肉串燒烤」店裡的景象，不僅不覺得令人厭惡，反而有種親切感。

今年，我還是以「瀟灑」的「文化侵略」為目標，當下立刻撥電話給中華料理的店家。

　　　　本文原刊處未能查知，係由日本「共同通信社」發稿，1976年11月26日

屠蘇酒的故事

◎ 林琪禎譯

屈指一數，今年竟已是筆者在日本所過的第22次新年了。

東京的聖誕夜，不知是否因為飄起瑞雪，寒風刺著肌膚特別寒冷的關係，想起今年一年的生活，閃過腦際的是頗為適合此時心境，高適的七言絕句：「故鄉今夜思千里，霜鬢明朝又一年。」（〈除夜作〉）。

平安渡過大厄運年後厄的我，覺得自己也到了「一夕秋風白髮生」的境地了。

話說回來，每到正月總會不知不覺地去在意一件事，即關於屠蘇酒的故事。

飲用屠蘇酒的習慣是自中國開始的，但不知為何中國人已經不喝屠蘇酒，放棄此習俗很久了，反而是日本仍舊堅持著喝屠蘇酒的傳統，並且頗為喜愛。

在文化交流史上，有不少的情況是，某項「事物」在將其創造出來的民族，或發祥地已經找不到現存的例子，卻在接受該文化事物的其他民族身上看到保存、發揚與愛用的情形不少。

由上述的觀點來看，屠蘇酒其實也不是什麼特別的例子，因

此在此提出也許有點小題大作了。

然而，眾所周知，屠蘇酒的原料是中藥材的屠蘇散，因此飲用屠蘇酒的風習其實是醫術之外與宗教的咒術也有關，每當思索至此，便覺得興味盎然。

如今嗜喝屠蘇酒的人，應該多沉浸在那藥香的誘惑之中，真正為了藥效而飲用的人應該不多了吧。

對大多數日本人來說，在正月的頭三天，不外乎是用作除邪，祈求長壽福祿的儀式，並做為吉祥物來慶祝新年的到來吧。

中國人新年不喝屠蘇酒，其實並不是始於新中國成立之後。

過去曾有踏上殖民地台灣土地的日本人，看到台灣過年時新貼的春聯上寫著：「爆竹聲中一歲除，春風送暖入屠蘇。千門萬戶瞳瞳日，總把新桃換舊符。」有這樣的句子，僅有其傳說卻不見台灣人喝屠蘇，而感到詫異不已。

《荊楚歲時記》（據說原書完成於6世紀。內容記述中國的年中儀式活動）中，有關於元旦飲用屠蘇酒的記載。可見在中國飲用屠蘇酒的習俗可以追溯到相當早之時代。

走筆至此，筆者也想到了蘇東坡（蘇軾，1036～1101）所留下的「但把窮愁搏長健，不辭最後醉屠蘇」（〈除夜野宿常州城外〉）一詩。

在日本提到屠蘇，所指的大多就是屠蘇酒，但在中國卻不一定指酒名，也許是草名、屋名，或是平房的稱呼（服虔，《通俗文》）。

關於屠蘇酒的材料，屠蘇名稱的由來，則有二種說法。

一個是根據《歲華紀麗》的記載：

俗說屠蘇乃草菴之名。昔有人居草菴之中，每歲除夜遺閭里一藥帖，令囊浸井中，至元日取水，置於酒樽，合家飲之，不病溫疫。今人得其方而不知其人姓名，但曰屠蘇而已。

亦即，屠蘇之名是來自調配出此藥帖之人所居住的草房名稱說法。另一說法則是就屠蘇的字面上來看，說屠蘇乃屠殺鬼氣，甦生人魂之仙劑。後者說法則不知出處，是否來自孫真人（唐代的名醫）的屠蘇飲酒論，其真訛不詳。

令人驚訝的是，雖說屠蘇的名稱和來源的說法各異，但屠蘇酒的藥方至今卻大同小異。雖也多少有出入，然而大體上和孫真人的〈歲旦屠蘇酒〉（《孫真人備急千金要方》）中的處方沒有太大的不同。

只是，至今仍然堅持以中藥醫學與西方醫學分庭抗禮的中國人，已經不喝屠蘇酒了；但完全拋棄漢皇醫學轉向西洋醫學一邊倒的日本人，至今卻仍舊喝著屠蘇酒。

一向是迷信囚俘的中國人不再喝傳說可驅鬼氣的屠蘇酒，而以享受「近代化」的成果自豪的日本人至今仍然視新年喝屠蘇酒為吉祥的象徵。這些有趣的現象到底該怎麼加以詮釋呢？相信對此感到有興趣的，應該不止筆者本人而已吧！

本文原刊於《東京新聞》夕刊，1977年1月26日

昭和30年代的東大

◎ 李毓昭譯

　　韓戰剛爆發，經濟不景氣至谷底、開始爬升之際，我從台灣來到日本。時為1955年深秋的11月底。

　　從第二年的1956年4月1日開始，包含1960年安保鬥爭〔譯註：從1959到1960年因《美日安保條約》修訂引發的激烈反對運動〕在內的整整十年，我都在東大研究所專攻農業經濟課程。

　　記得剛入學時，消費合作社有零售的香煙，在食堂吃得到麥飯。而去運動場地下的理髮店，不洗頭只要75日圓就夠了。

　　農學部三號館的窗戶生鏽，「通風」良好，暖氣繼續「冬眠」，也不時因為洗手間沒有衛生紙而狼狽不堪。

　　「回憶」總是令人懷念，樂趣橫生。不，或許應該說，這是為了自我防衛才這麼說。如果只記得「痛苦、討厭的回憶」，可能每個人都會神經衰弱。

　　我至今依然記得，儘管生活窮困，師長與同學卻無不意氣風發。

　　當時的研究所不像現在這樣只有縱向的往來，橫向交流也很頻繁。對我來說實在幸運。我受到「農經」老師們廣大如海的支

戴國煇攝於東京大學農學院正門前，1956年4月12日（林彩美提供）

持，得以拜訪各方的「道場」（研究室）。 雖然缺乏實力和勇氣「叩師門」，但我自認當時勤奮向學，常常在「道場」角落「偷聽」。

　　因此之故，我更有幸與許多老師和學友結為知己。人與人「相逢」的深遠含意，令我至今依然玩味不已。

　　我師事的老師中，仁井田陞、竹內好兩位已經仙逝，令人不勝唏噓。幸好「農經」的東畑、神谷兩位老師仍然健在。

　　1975年第二學期，我離開東大已屆十年，被召回睽違許久的舊巢，擔任研究所的外國人講師。

　　學生連同經濟系的K君在內總共有三位。他們都很用功。有時也一起品嚐咖啡、啤酒或威士忌。至今與他們仍會每月召開一

次和學分無關的私人研討會，以討論為樂。

在似乎有而沒有出路的、眼前「冷漠」與「閉塞」並存的狀況下，他們一般而言都沒有精神。

這很令人擔心。他們一點也沒有以東大研究生為傲的樣子。也不會嘲笑被「東大熱」搞昏頭的熱心教育的怪獸媽媽們。

這是因為「東大紛爭」的傷痕還未痊癒的關係？或者應該把他們看成提前「老成」了呢？

不少學生以留「長髮」和「鬍鬚」來排解憂煩。這種在昭和30年代的東大看不到的風氣，究竟對我們表示什麼，預告什麼呢？感到困惑的，應非只有身為外國人講師的我吧。

本文原刊於《学内広報 —— 東京大学創立百年記念特集号》第362號，東京：東京大学広報委員会，1977年4月12日，頁23

八億分之一與一億分之一的相逢

◎ 劉靈均譯

　　因為一些偶然與相逢，我們定居在宮前，其結果之一，便是我們的長子興宇能夠受到宮前中學的諸位照顧。

　　畢竟會定居於此，與其說是選擇還不如說是因為眾多巧合造成，所以小犬能夠在有許多良師益友的宮前中學度過校園生活，只能說是很難得的相逢。

　　想想我們一家五口各自做為八億（中國的總人口）分之一的存在，在日本承蒙大家照顧。我向孩子強調，「你的老師和同學們也各自做為一億分之一的存在，教育著你、與你做朋友。你要珍惜這份相逢的重量，絕對不能忘記……」

　　我還沒有問過興宇，到底能不能充分理解為父的我所謂「相逢的重量」的意思。但是自從我以萬紅叢中一點「黑」之姿，出席家長會的會議以來，就一直相信，以孩子為中心和宮前中學的這份相逢是值得不斷咀嚼、不斷反芻的。

本文原刊於《新聞こだち》第32期，東京都杉並区立宮前中学校P.T.A.広報委員会，1978年3月16日，頁3

輯二

漫談語言與教育

文化接觸場所的大學和其周遭
──從我的日本經驗談起

◎ 李毓昭譯

　　我是承蒙主持人介紹的戴國煇。大家要怎麼唸我的名字都可以，我不會提出告訴的（笑）。剛才的日語唸法應該是很久以前的遣隋使、遣唐使從漢族出身的老師那裡學來的，所以並沒有錯。而即使是中國話，我的母語客家話、我太太的母語閩南語和北京官話的發音也不一樣，所以要怎麼唸都可以。

　　話說回來，就像簡章上寫的，我是留學生的前輩。有人邀我參加「文化接觸與日本」這個主題的活動時，我立刻想到，談談自己的體驗應該是不錯的主意。

　　當然我不是沒有愛現的習癖，而會來參加是另有原因。首先因為這是要一同過夜的交流，我想積極地回到年輕時代，所以就自主地參加了。第二個原因是日本與亞洲在近代史上的關係不能只用漂亮話來說明，我也不想這麼讓它過去。我的體驗雖然狹窄，但希望能將「污泥」排出，而活用產生美好的接觸與邂逅。

　　第三個原因是，這裡有德高望眾的老師參加，我希望把理論的框架、概念規定交給那些老師，我要從身邊的地方，或是從感性的層面慢慢切入，而在最後確認亞洲關係中的史實或問題點，

在相互共有的基礎上面對，之後就互道再見，但這個再見只是為了再次相逢的短暫離別。

現在進入正題。亞洲對日本人來說只是極遙遠的存在。我來日本不久，在大學遇到教育水準很高的日本人，竟然對我說：「戴先生真會用筷子，你們那裡也有豆腐嗎？」我真的好吃驚。

再說件我的糗事。家人寄鳳梨罐頭給我，那是昭和33年夏天的事，那東西又貴又稀罕。我分了一些給隔壁房間的人，他卻送我一帖日本紙，讓我覺得莫名其妙，無法意會到是什麼意思。後來才知道，那是「回禮」。

日本舉辦亞洲奧林匹克運動會時，我記得丸之內大樓內的旅行社櫃檯旁邊有「Welcome Foreigner」或「For Foreigner」的字眼，也擺著氣派的沙發組。我坐在那裡等專人來向我介紹時，櫃檯裡面有人以下巴對我發出「你坐錯地方，到那邊去」的信號。他看我無動於衷，就走過來說，這裡是外國人專用的地方。我就拿出護照，對他說我是外國人，他卻又說不對。我這才發覺，原來他的意思是「外國人是有藍眼珠的白人」（笑），令人哭笑不得。但這是不能一笑置之的事，一般日本人就是這樣，現在還有許多人存有這種觀念，對亞洲的觀念一開始就先驗地認為亞洲很遙遠、落後骯髒、是沒出息的人住的地方。

他們還會善意、自以為是地認為，他們在照顧從落後地方來的留學生，施惠給他們。因此，日語流利，不懂得「撒嬌」的留學生不夠可愛，所以不受歡迎。或許是品德也不好，才完全不受女孩子青睞。（笑）

就像經常有人說的，外國人在日本待得再久，也是會被當成

「客人」，很難被視為同伴。

可是這並非全無優點，還是能從中得到好處。既然不是同伴，就沒有老大要聽從，也不必擁護某個學派。只要是我喜歡、有興趣的老師的研討性授課會（seminar）或特別講課，都可以進去聽。由於那時是昭和30年代，我進東大剛好滿十年，從世界知名大師那裡學到很多，收穫無比豐碩。說到seminar，日本同學不太會發言，好像在堅守「沉默是金」的格言。仔細想一想，或許日本人是在同質社會中成長，彼此都有默契，所以不太需要對話。日本到目前為止都維持著所謂的同質性狀態，而以適當規模在「近代化」獲得很大的成果。何況國外一直都有「範本」可用，非常方便，可是以後未必如此。

同質而單一的狀態固然方便，但今後可能會因為得不到異文化交流的便利，或是缺乏與廣泛的他者接觸，欠缺在刺激中創造新文化的條件，而逐漸出現負面結果，導致停滯。

就此意義而言，不僅是對歐美人，對於包含亞洲在內的第三世界民眾，我們都應該採取對等同格的態度，最重要的是做為人的立場去認識、深入接觸，提高文化交流的效果。接納留學生是互惠的事，在教導的同時也能夠學習，教學相長。請大家要記住這一點。師也者潛藏在所有他者中。

時間到了就此打住，細節會在seminar詳談。謝謝大家。

本文原收錄於《国際学生セミナー報告書：文化接触と日本》，八王子市：財団法人大学セミナー・ハウス，1979年7月27日，頁12～14

我的朝鮮體驗

◎ 林琪禎譯

　　這是1950年代末的事了。當年我們夫婦剛離開哥哥家，原本在他們不在時幫忙處理生意（只是一些簡單事務）的我們，正式開始了「獨立」的生活。

　　因為反抗父親的關係，因此不打算接受家裡的資助，夫婦兩人開始做些家庭教師的工作，總算維持住生活。至於邁向獨立的第一步就是解決住的問題了。

　　我們來到了東大正門前的某個房屋仲介。房屋仲介介紹給我們的是一間位於西片町剛蓋好沒多久的某間公寓。條件幾乎符合我們的期待。距離研究室近，前往學校不必花交通費，其他時間待在圖書館的話不僅可以節省晚上的電費，還可以節省冬天的暖氣費，十分划算。雙方談得很順利，幾乎就要簽租約了。此時為了慎重起見，我拿出了名片遞給對方。

　　房東看到了我三個文字等間隔的名字，忽然臉色一變。他將房屋仲介叫進另一間房間內，經過了約五分鐘才帶著笑臉出現道：「太好了！太好了！還好不是朝鮮人。戴先生您是中國人吧？我們趕緊簽約吧。」

　　我反問道：「為什麼朝鮮人不好，中國人就可以呢？」

　　「對啊，總之朝鮮人就是很麻煩。我兒子今年考進了教養學部，請多多關照。」

　　「抱歉，我不簽租約了。中國人也有不好的人，也有會欠交房租的吧。就像日本人一樣有詐欺、強盜、小偷甚至殺人的人。不是只有朝鮮人是不好的吧。」

　　我請對方還我名片，匆匆地起身離去。回程路上，房屋仲介不斷地抱怨：「戴先生，您為什麼要把事情搞砸呢？」

　　其實我曾經有過類似的經驗。想到戰爭結束前的少年時代的體驗，我就感到無盡的傷痛。也許，是因為讓我想起了同樣的記憶，所以才退回那位房東先生的租約吧。

　　「大東亞戰爭」的末期，北部台灣的某個人口約三萬五千人的閒適小村莊，也開始繁忙了起來。由於村莊的附近蓋了特攻隊的飛行場，時間大概是B-24與洛克希德的P-38雙胴機出現不久之後的事。由於B-24和P-38是當時的我從未看過的巨型模樣奇特的飛機，因此留下了深刻的印象。

　　高射砲所發射的砲彈，在高高的藍天上爆炸。其實，當時的我們也逐漸清楚地知道，這些聲勢十足的砲彈已經改變不了戰況了。類似日本帝國自傲的「零戰」與似是「隼」這類的戰鬥機上頭的日本丸旗光輝奪目，在青空中劃下一條條長長的「飛機雲」就掉下去的日子，就這麼地持續了一段時日。

　　當時在鎮上的日本人所經營的「割烹旅館」（提供日式料理的旅館）常常聚集著三五成群的穿著飛行衣的年輕日本士兵，這些日本士兵不時就換了一批人，一個月總有二、三次聚在旅館大

聲吃喝。他們抽著印著菊花紋章的香煙（天皇恩賜的香煙），開著下流的玩笑，大吵大鬧還不時「朝鮮P、朝鮮P」地喊著，偶爾也唱著〈預科練之歌〉，是一群傷腦筋的傢伙。

知曉事理的前輩R氏，告訴我說，他們是不久就要出陣送死的神風特攻隊，特地前來P屋消費的。

初中一年級的我，對於P屋或朝鮮P自然是一無所知。只知道她們是一群穿著和服的「日本人」女性，其中有一些人的濁音發得不好，如此而已。那時的我對於是「日本人」卻濁音發得不好這件事，感覺有點奇怪。不過話說回來，初中時代的我，也有看過住在苗栗附近客家（漢民族的一支，出身中原一帶，因為戰亂流亡至華南生活，太平天國和辛亥革命都曾有該族群活躍的事蹟）出身的同班同學，就曾經因為不會發濁音而被教「國語」的教師以及日本人同學責罵或嘲笑。

告訴我這些將「綠之島」發音成mitorinosima、刻意露出和服內紅色內衣的女性為朝鮮人的，是鎮上另一間日式旅館朝日屋的兒子U君。

朝鮮人、P屋、朝鮮P就這樣子在我的腦中連結起來了。這是我後來才知道的，因為台灣人的藝姐（藝伎）不願意委身日本人，而鎮內或村中的男人也不去光顧P屋。

隨著戰況的加劇，台灣也繼朝鮮之後，開始實施了志願兵制度（1942年4月1日陸軍特別志願兵制度、1943年8月1日海軍特別志願兵制度、內閣會議亦通過了隔年10月23日於台灣開始實施的徵兵制度【1945年起實施】）。

在殖民地當局和日本軍國主義的強迫或鼓吹之下，一部分的

台灣年輕人，或者迫不得已地，或者興致高昂地，成了「亞日本軍國青年」。其中一些人模仿日本人在出征喝水酒之前，前往P屋舉行「元服」（成人）儀式則在鎮上也流行了起來。

遠房親戚的堂哥，是個浪漫的人，曾經夜襲日本人同學和學長，做為抒發殖民地統治下民族歧視鬱悶的手段。當然這種抵抗並沒有持續很長一段時間，不久他就被憲兵隊帶走，吃了一陣牢飯。學校當然也被退學了。志願兵制度的實施對權力是一大機會，堂哥馬上就被套上這個桎梏了。

接近入營的某天，聽說他帶了幾個同學，趕夜路前往P屋「出陣」去了。

隔天，他和夥伴告別，一個人回到家裡。身旁多了一個打扮穿著像是「日本人」的女性。他在伯父面前跪下，聲淚俱下地說希望讓這女子入籍。他說道：「這女的是朝鮮人，和我們處於一樣的立場。她是被賣到台灣來的。我這一去不知道有沒有辦法回來，請爸爸幫她贖身吧，就當作把養我的餐費拿來養她好了。拜託您了。」

女子也跪在一旁流眼淚。之後我才知道，堂哥並沒有碰這位女子的身體，付了一夜的費用，卻跟她聊到天亮。

在老家中還維持著大家族制的伯父一家，就這麼地陷入了一陣騷動。賣笑婦，又是朝鮮人，不造成一股騷動才怪。這女子就是我們家最先接觸到的朝鮮人。伯父一家並非對朝鮮人有成見，只是當時在台灣漢民族之間就算要結婚也有很大的隔閡和顧慮，尤其是以福佬人（祖籍為南福建的台灣人，占全台人口的八成五）和客家人之間的通婚更是少見。可想而知伯父一家的困惑和

混亂有多嚴重了。

「搖錢樹」（搖了就會掉下錢的樹，用來比喻賣笑婦）被帶走的P屋老闆，氣沖沖地去向警察告狀。被警察叫去問話的伯父，祭出了拖延戰術。一方面安撫對方，希望到堂哥入營前不要去刺激他；另一方面和堂哥說會答應他的婚事，希望他能先等一等。

堂哥恢復了冷靜，將女子送回P屋，一邊期待婚事可以在入營前談妥，一邊待在鄉下的老家中過著每天讀書度日的日子。P屋的老闆、警察、伯父，對於堂哥的行為表面上似乎表現得很平靜，其實內心不用多說，一定都是各有盤算的。

伯父一心希望堂哥早日恢復平靜；P屋的老闆和處理這個事件的警察，則是為了不刺激一個以日本人身分榮譽出征的「帝國陸軍軍人」，而忍氣吞聲，順應其意罷了。

堂哥入營六個月後回到故鄉，隨即前往P屋去找那名女子。P屋的老闆說她回釜山去了。堂哥大怒吼道：「馬鹿野郎！騙人不打草稿！」不過也無濟於事了。

浪漫的堂哥，最後與我們的聯絡，是一張時間為「昭和20年元旦」，署名寄自昭南市的明信片。之後就再也沒有他的消息了。當「中村輝夫」在摩洛泰島（Morotai）被救出來的時候，我們還期待著說不定堂哥也會現身了。

那女子叫什麼名字，如今早已不可憶了。只是她那張滿是憂愁的瓜子臉，至今仍然令我印象深刻。

不管是幸或不幸。我與朝鮮人最初的接觸，就在堂哥「年輕氣盛」的浪漫劇本中，戲劇性地發生又落幕了。

　　殖民地時代的台灣，在台灣以外的地區是否有「台灣P」被迫出賣身體的例子，我並不知道。只是聽說從軍護士也有兼任慰安婦的傳聞。

　　至於現今的狀況又是如何呢？台灣的北投溫泉，比首爾的「伎生」（韓國的官伎）觀光還早聞名世界。去年〔1978〕去了夏威夷一趟，發現老友C氏招待用餐的酒吧中，負責陪酒的小姐大多是韓國女性，還驚訝了一陣子。

　　不久前，才剛發生了台灣人出身的「夜間花蝴蝶」（酒店小姐）被全裸殺害的事件。知情人士說，在銀座、赤坂、上野、澀谷、新宿、池袋的「夜世界」中，如今台灣人姑娘已經成了不可或缺的存在「主力」了。

　　難道連我們的「近代化」都得依賴日本的夜生活經濟，靠「賣身」所攢下來的皮肉錢，來嘗試原始積累嗎？真是傷腦筋啊。

　　台灣人、朝鮮人的女子們，要到何時才能真正保有人的尊嚴生存呢？

　　每當我想起堂哥的第一個女人（？），那位一張瓜子臉，稍微露出紅色內衣的朝鮮女子，我就不禁為她們薄倖的命運，感到無盡地疼痛與憐憫。

　　　　本文原刊於《季刊三千里》第20號，東京：三千里社，1979年11月冬季號，頁14～17

能充當橋樑嗎？

◎ 林彩美譯

1955年秋來到日本，所以我已25年亦即有四分之一個世紀在櫻花之國度過了。

又今年〔1981〕4月15日我就50歲了，算來剛好目前我所享受（？）的人生已有一半在日本度過。

我擔心自己的種族性（ethnicity，抱歉以我的造語「華人性」代之使用），被日本文化的同化作用而受風化或磨滅，所以我盡可能用心在看中文的雜誌與書籍。

在客觀狀況之下，不管喜歡或不喜歡，我現在都處在雙重文化的立場，回頭看自己的形象時，不只一次感到困惑。

閱讀與「母語」相關聯的中文雜誌與書籍的行為，是為了研究工作以外，或許可說是要保護自己的「華人性」而無意識的自衛策略。

的確，我變成擁有兩個文化與語言的「境界人」。但是我的情形是兩個文化與語言都是亞洲之中，屬於漢字文化圈或儒教文化圈中的兩個。

從而不像日、美間之例，可以看到相當明確異文化間的不同

情趣。

　　本來在異文化間的架橋作業是不容易的。尤其是時或相互意識到「親近」感（因此有時也伴隨憎惡感）的日本與亞洲，日本與中國的關係是不能只以邏輯說得清楚、解決得了的，其中的差距也不少。

　　如何嘗試於情念上架橋，是我對境界人的自己所提出的課題之一，也是因為認識到這件事之故。

　　心理掙扎的當然歸結，是我固執於以自己體驗的感性，從自己所處的場所與狀況向鄰人——日本人諸賢嘗試發言。那小小的結集就是《台灣與台灣人》與《華僑》兩本書（研文出版）。

　　所幸目前很少有把我的發言當作「反日的」、「對日本人的無端的惡言」之小心眼日本人。

　　比起日美、日歐間有大量的交流，而日亞、日中，尤其以華僑與台灣當作焦點的東西不多。我的擔子似乎還不能輕易放下的樣子。

　　　本文原刊於《センター通信》第6卷第1期，東京：国際交流基金日本
　　　研究センター業務室，1981年4月，頁1。爲「二つの文化の中で―
　　　（1）」專欄內文章

你被接納了嗎？

◎ 林彩美譯

　　1969年的深秋約有50天，我有生以來第一次訪問東南亞。

　　日程的開頭是台灣。暫且不談公務，對於我這次的台灣訪問也是自出鄉關以來第一次的掃墓之行。從台北機場飛出去已滿14年，一時真有「少小離家老大回，鄉音無改鬢毛催」久別的感傷。

　　到達的第二天便早早吃了計程車司機的一拳。

　　「客官啊，你從日本的哪裡來的？」他以台灣口音的日語問我。「不！我不是日本人」「是嗎？那是華僑嗎？是不是出生於日本……」「不是，我是出生於台灣，十幾年前去東京，昨天第一次回來。」

　　為何會被錯認為日本人呢？只經過14年，為何故鄉的人會把我看成「異邦人」等，讓我疑念無窮。

　　在新加坡、吉隆坡，以及馬來半島的農村部，與在台灣一樣，我一直被錯認為日本人。那麼，我就把領帶解下，把西裝襯衫換成爪哇島的傳統蠟染襯衫，也沒有戴眼鏡，可是卻完全無效。某日訪問客家系同鄉會館之一的霹靂〔譯註：馬來西亞西北

部的州，首府是怡保〕嘉應會館以為表敬。「明天，恰好有每年
一次的大會，能否請以客家話做演講？」對方當面邀請。用日
語、中國語（北京官話）的演講難不倒我，而母語的客家話會話
雖然習以為常，但是用在演講就從來沒有過。

　　最後演講時結結巴巴挑選著辭彙以塞責。可能是我用心在演
講因而感染到我的熱情吧，獲得聽眾熱烈掌聲。接著入座宴席。
乾杯之後，長老對我說，「其實兩三天前就有你的風聲了。說有
一位不只會講北京官話、閩南話、客家話，又多少懂得英語的日
本人。剛才聽了你用客家話做了非常好的演講，我放心了。你不
可能是日本的間諜，哈哈哈……」。

　　我有如冒了三斗冷汗之感，一邊喝著白蘭地，一邊頻頻點
頭。過一會兒，鄰席的理事長開口提問：「戴博士，那麼你被日
本人、日本社會接納了嗎？」。我一時躊躇，「啊……，我感覺
漸漸在被接納吧……」而姑且答之。

　　處於兩個文化的「山澗」，要有主體地生活著，嘗試實現自
我，和平是絕對不可或缺的前提條件，這是令我重新確認的一
幕。

　　　　　　本文原刊於《センター通信》第6卷第2期，東京：国際交流基金日本
　　　　　研究センター業務室，1981年6月，頁1。為「二つの文化の中で—
　　　　　（2）」專欄內文章

「血」與相貌

◎ 林彩美譯

　　中國殘留日本人孤兒問題，把戰爭的悲劇與「歷史」的慟哭刺進萬人之心。

　　對戰爭的憤怒暫且不去問。即使那樣，「血」（先天的存在）與「文化」（後天習得的所有）所給予的意義如此強烈地留下深刻印象的事象，是未曾有過的。

　　瀏覽電視放映的畫面、新聞、雜誌以及書籍上的相片，每每令我苦思「文化」怎能把人們的相貌改變，或創造成如此模樣。

　　「孤兒」的映像、相片，從第三者而且是中國人的我來看的話，從相貌上全部都可看成是中國人。

　　但是，「孤兒」的關係者從映像與相片的「片影」可尋出親人的面影，化悲為喜，真是何等的「靈感」啊。

　　血濃於水，可能指的是這種事例。

　　但是由孤兒母親所帶回來的「兒子」，因不能適應日本的生活環境而引起殺人事件，孤兒母親在回到日本的當初，相信在「血」之上已把孤兒之悲化為喜。但是另一方面，在兒子身上確是由於「血」被「文化」挫敗而發生了悲劇。

　　戰爭的悲劇造出孤兒問題，孤兒們夾在「血」與「文化」之間苦惱，產生新的悲劇。前面的悲劇導致二人死亡，悲劇的漪漣無限地泛開。

　　我想，相貌應是由「血」與「文化」雙方造成的吧。「血」亦即遺傳上的關聯而造成的「片影」，可以由血族關係者來確認。

　　而相貌的另一個重要的因素「文化」，是以遠遠地超越血族關係者的存在而繼續「實存」著。

　　正因如此，所謂「文化」是人類自己從現實生活的社會所習得的生活方法，伴隨此而學習或掌握到的所有生活感覺。

　　在此意義上，對不懂日語，沒有日本生活的現實感覺的孤兒們，在相貌之上，第三者把他們看成中國人也就不足為奇。

　　在台灣長大成人之後才去日本的我們夫婦兩人，被誤認為日本人是少有的。但是在日本出生，以日語為「母語」，沒有越過日本國界的孩子們，在相貌上沒有人認為他們是中國人，這是很有趣的事。

　　　　本文原刊於《センター通信》第6卷第3期，東京：国際交流基金日本研究センター業務室，1981年8月，頁1。為「二つの文化の中で―（3）」專欄內文章

日本人與中國人

◎ 林彩美譯

　　8月18日某雜誌的座談會上，與五年沒見面的《日本第一》的著者傅高義（E. F. Vogel）教授同席。

　　傅高義是從北京（7月）、台北（8月）的演講旅行，來到國際文化會館（東京）剛剛卸下旅裝的。

　　「傅高義先生，北京與台北共通的反應是什麼？」我發問。

　　「真有趣，北京與台北雙方都說，『我們中國人，每個人的資質、腦筋都不比日本人差，不，我們覺得或許比日本人優秀。然而團體，一組織起來就完全輸給日本人，實在可惜，令人遺憾……』如此異口同聲地說，真是有趣……」他這樣對我說。

　　想起五年前的座談會「『抬轎社會』的精神結構」（《現代Vision》，1976年5月號）〔參見《全集》22〕的，與傅高義先生做了預設外的中日比較談。

　　「戴先生，如以一句話來表現日本人與中國人的不同，那會是什麼？」傅高義先生問我。

　　「日本人有造了轎，大家嬉笑高興地哇羞伊！哇羞伊！〔譯註：日本抬轎時喊的口號〕來抬轎的睿智。但是中國人沒有這種

『抬轎』的習慣，如果中國人有這種『轎子』大家都是不願意抬而願意坐，因此轎子馬上被壓扁而壞掉。」我如此答。

　　個人資質的中日比較論，不只是北京、台北，在日華僑界也存在著一種俗論。之所以說是俗論，是因為我認為此論並非生產性之故。

　　大多數日本人，把「實現自我」的目標和媒介，與其說放在自己個人，更多的是委託在「家」、組織、社會、國家而不多加疑慮是事實，對此我驚歎了四分之一個世紀。

　　中國人的社會在傳統上沒有隱居制度。恐怕與那相腹背繼承制度與日本的家督繼承不同，中國人自古以來就一般地採均分繼承（只限於男子）。

　　現代中國代表人物之一的毛澤東，和對手蔣介石，此兩者都沒有隱居。我想有心的大多數中國人想把他們奉上轎子，但是兩者都不想當「象徵」。不，應說中國人未具有將之奉上轎子的社會力量吧。這是很有趣的事。

　　　　　本文原刊於《センター通信》第6卷第4期，東京：国際交流基金日本
　　　　　研究センター業務室，1981年9月，頁1。爲「二つの文化の中で──
　　　　　（4）」專欄內文章

對水泥磚牆「長城」之感

◎ 李毓昭譯

　　邁入五旬之齡的去年夏天，我加入硬式網球俱樂部。這是睽違25年的回歸。俱樂部是三鷹井口的M俱樂部，從舍下騎自行車約需40分鐘。

　　我家沒有汽車，除了長期缺錢的原因，好聽一點的說法是為了節約能源，保護環境。

　　內人與念小學的女兒同行，因此自行車的路線以安全第一為考量。當然，大馬路要盡量避開。

　　路線約有一半是玉川上水和園藝店的圍場。每週兩次，一邊踩著自行車，一邊欣賞沿線風景。在落葉絨毯上奔馳，享受四季花草與芳香樹木的喜悅是數說不盡的。然而，目光一移到沿路人家，映入眼簾的就是水泥磚牆的「長城」。沒有一直延續多少還有藥可救，但感覺極為冷漠。

　　我想住在牆內的人應該是至今仍喜愛花草，絕不會錯過櫻花、紅葉和菊花季節的扶桑之人，或是其後裔。

　　然而，不知從哪天開始，我親愛的鄰人也走上我故鄉那座「萬里長城」的覆轍。長城本身是壯觀的古蹟，東西方的旅人都

　　會登上八達嶺，遙想中國的春秋歲月，引以為樂。

　　筆者至今仍未得幸登上長城，但是從築城的「悲劇」可以窺知，那是中國人的一大愚行。

　　長城的興建可視為黃塵萬丈與黃河氾濫、饑饉與洪水等天災的歷史因素。長城一方面是留存下來的史蹟，另一方面也是人民災難的「根源」，因此可以斷定它是愚行。

　　現代中國人依然在為此愚行付出代價。可是，水泥磚牆形成的「長城」並不可能成為史蹟，扶桑人的後裔在日後要如何付出代價呢？

本文原刊於《グリーン・パワー》昭和57年6月號，東京：財団法人森林文化協会，1982年6月，頁15

中華料理的滲透

◎ **劉靈均譯**

　　如果我們能夠接受「料理即文化」此命題的話，1955年秋天，我在日本第一次窺視串燒店的經驗，對我而言就正是一場文化衝擊。我被一進入串燒店的門簾、圍著烤爐男人們的樣子，以及烤肉飄來極為誘人的香味所吸引，做為留學生到日本才第二天的我便好奇地走進了串燒店。

　　但是那看板根本就在騙人。很多攤販或者店家所販賣的「燒き鳥」（yakitori，串燒）並不以雞肉，而是以牛或豬的內臟為主。這些東西在戰前，是居住於殖民地台灣的日本人，還有在東京留學的留學生前輩們所認識的日本人眼中，認為是「支那人愛吃的」而疏遠之，甚為輕蔑因而不屑一顧的東西。然而在戰後卻發生了大逆轉，這些東西換個「燒き鳥」的名字，成為日本人的桌上佳餚。此外，將肝臟稱為レバー（reb□，即liver），心臟稱為ハツ（hatsu，即heart），舌頭稱為タン（tan，即tongue），在菜單上寫成像英語的感覺，顯示日本上班族接受外來文化的曲折過程。

承接中國料理滲透的托盤

　　從中華文明對日本文化影響之史實看來，以肉食為中心的中華料理開始對日本料理有所滲透，應當可以上溯至文武天皇（697～707年在位）年間。這樣以朝廷與一部分上流階級為窗口的滲透交流一直持續到江戶時代。

　　另一方面，從中世以後佛教開始普及，伴之而來的「精進料理」（素食）與肉食類的中華料理不同，可以看成是經由寺院擴展滲透到普羅大眾。

　　以大豆為素材的豆腐、豆腐皮、味噌、醬油等，日本式的接納及調味功夫都可謂青出於藍。一方面將「凍豆腐」說成「高野豆腐」（k□yad□fu），把豆芽說成「もやし」（moyashi），橫的移植之外，甚至還發明了絹豆腐、水戶納豆等。這正是所謂「再創造」的日本式文化接納典型，可以當作是其菁華的顯現。

　　中國的精進料理稱為「素菜」，並進一步分為「淨素」與「花素」兩種。

　　淨素的「淨」含有純粹、完全的意思。淨素不只是不使用動物性的材料，蔥、韭菜、辣椒、大蒜等有刺激性（不只是味覺，還包括其香氣）的素材也都被禁止。

　　花素的「花」是「各式各樣」的意思，表示混雜著混合或者是異質的東西。因此，花素中使用蔥、韭菜也可以，也會使用蛋。只要不殺生，什麼材料都可以，是在規則上比較寬鬆、通融的精進料理。

　　此外，中國的精進料理之中，還有用豆腐、豆腐皮、麥麩做

為素材，做成雞、鯉魚、蝦之類的形狀，或用植物油油炸，或用芝麻油調味之後燉煮，或者將之炒熟。這樣的料理稱為紅燒全雞、紅燒鯉魚、炒蝦仁。在昭和15、16年時，赴台灣參訪的日本年輕僧侶對寺廟所提供的餐點名字大為震驚。雖然當知道素材是素菜之後算是勉強接受，但要放進嘴裡還是需要相當的努力。在中日之間，對所謂精進料理認知的方式也大相逕庭。

以上舉出了代表近代以前中華料理滲透日本前期的兩個例子。兩者都是在朝廷、上層階級、寺廟的層次，也就是說其滲透程度只在於點，而未及於面的程度。

此外，還有一條由地理條件所創造出的中華料理滲透日本的途徑。也就是中國—琉球—薩摩連成的路，江戶末期以後這條路明顯的擴大起來。也被稱為「文化的十字路口」的琉球列島，特別是在明、清時期與福建沿海的交流變得緊密，所以一般認為與琉球相連的薩摩、西南諸島的這塊廣大區域，其料理受華南料理極深遠的影響。

琉球與華南料理——特別是與福建料理的類似性廣為眾人所知。在薩摩料理中，豬骨料理與「紅燒排骨」，燉切塊豬肉和「滷肉」或「紅燒方塊肉」都相通；至於麻糬類，鹿兒島的「灰汁卷」（あくまき，akumaki），或者種子島的角卷（つのまき，tsunomaki），都和台灣及華南地方獨特的鹹粽子極為相近。

以中華街為據點

然而，在第二次世界大戰以前，中華料理滲透的另一個據點

就是唐人街（Chinatown，南京町、中華街）。

　　近代日本最初的中華街，是成立於明治中期的長崎。長崎的什錦湯麵（チャンポン，chanpon）現今在年輕人之間也非常具有人氣，但其實應該要把它和美式英語中的chop suey，中文的「雜碎」或日語的「雜炊」〔譯註：燉稀飯〕做為相連的料理一起思考。把「剩下的東西」拿來一起燉煮的料理，在美國因為清朝外交官李鴻章（1823～1901）在美國時的軼聞（對歐美料理厭膩，而和隨扈一起燉鹹稀飯吃）而風靡美國，在日本則成為長崎的什錦湯麵進了人們的嘴裡。

　　在北九州以南，除了地理以上的相連，同緯度也是一個要因。在這個地區，可以生產芥菜、絲瓜、苦瓜、佛手柑、空心菜等南方蔬菜，這些在中國一樣也被當作醃製料理或菜餡的材料。

　　繼長崎之後，明治後期在神戶、橫濱也出現了中華街。雖然規模小了些，但在北海道的函館也出現了。

　　在長崎的中華街是以福建省人為中心的街道，在神戶和橫濱則是以廣東省的人為主體。會變成這樣是由於隨著西歐的東漸，被歐美各國的船隻僱為下級船員的廣東人在世界史的舞台上登場，而神戶和橫濱通稱「南京町」的中華街，就變成這些中國船員的休息地和購物處。在同一時間，日本人的肉食也隨著開國解禁，中華街因而可以滿足在地人的胃。

　　就這樣，中華料理滲透到日本，便踏入了以廣東料理為主的新階段。此時代表的幾項菜包括蟹肉蛋、烤豬肉等。日本人饕客甚至可以用「フーヨーハイ，fūyōhai」（芙蓉蟹，北京話音近「フーロンシエ，fūronshie」，廣東話音近「フーヨンハイ，

fūyonhai」）、「チャーシゥ，chāshiu」（叉燒）這樣奇怪口音的中文唸法來點菜，可見中華料理逐漸受歡迎。

第二次世界大戰後真正的普及

　　然而不難想像的，中日戰爭之後不幸的中日關係，也造成日本人接受中華料理上很大的阻礙。我們可以從「支那麵」（支那ソバ，shinasoba），甚至「チャンソバ」（清麵，從チャンコロ【清國奴】一字而來）這樣的稱呼中可略知一二。然而即使在那樣的時局，喜歡吃叉燒的日本人也仍然大啖燒賣。中華風的燉煮（糖醋鯉魚、糖醋肉片等各種勾芡料理）也是頗具人氣的菜餚。此外喜歡乾淨的日本人，自古以來也一直愛用著將綠豆磨粉製成的冬粉，並因為其纖細透明的外表而稱之為「春雨」。

　　人類本來就喜歡美食。跨越心理障礙，原本就喜歡吃麵類的日本人也逐漸接受了支那麵。

　　在東京都內的支那料理店在大正5年（1916）左右，也只不過寥寥數家；但到了大正11年，每一區都會有個幾家，在紀錄上，大正12年關東大地震後，支那麵店的流行甚至快要超越了日本在地麵店的數量。（《明治事物起源》）〔《明治事物起原》〕

　　在這樣的過程中，支那麵以拉麵之名廣植於日本人的飲食生活，並加入了許多中國人不知道的材料（淺草海苔、鳴門卷〔譯註：切面為粉紅色旋渦狀的一種魚板〕、菠菜等）。

　　中華料理的真正普及，怎麼說都要等到第二次世界大戰之

後。自不待言，在此時從包括台灣在內的中國全國返回日本的日本人帶來的「中華飲食」經驗，對中華飲食的風尚產生了很大助力。此外我們也不能忘記，在戰後民主化的脈絡下，對中國人的歧視顯著地變得稀薄，在社會心理上也擴大了積極接受中華料理的基礎。

本文原刊於《週刊朝日百科》第119號，東京：朝日新聞社，1983年4月3日，頁249～252

從日本、美國看台灣
——品質管理與「匠」的精神

「匠」的精神在中國是很有名的，可惜這一百多年來，我們竟慢慢把這種國粹遺忘。

台灣的經濟正面臨轉型，在1955年時，我們什麼東西都缺乏，但現在市場產品很多，從物質方面來看，可謂已經達到飽和了。

這個時候我們就應該來提升生活的品質，使之更上一層樓，經濟外貿的企業產品更是不能老是在抄襲仿冒日本、美國，如此繼續下去，我們在市場競爭上會敗陣下來的。

品質管制的觀念是來自美國的軍需工業，其之所以在美國形成，是因為在兩次大戰期間，美國成為供應軍需工業的大本營，而如飛機、戰車、大砲等，軍需產品必須講究高度的技術和品質管制，否則派不上戰場。

嚴格執行品質管制

日本是從1956年才開始有品質管制這個概念，當時，他們的經濟主管機關就在發表的「經濟白皮書」中談到日本的經濟已經

不是戰後的景況了，即日本已經把戰前最高峰的經濟生產水平恢復過來又重新開始了。

　　如此的企業產品管理概念，在當時台灣好像只有台糖公司引進了一部分，其他企業則還對這個觀念非常模糊。

　　然而，日本卻在短短的幾年間就把這套經營理念深植於企業員工的心中，使得他們的外銷產品很快就進軍全世界的市場，征服國際市場，其中最主要的，就是因為他們的產品有嚴格的品質管制。

　　品質管制是很重要的，如果品管不好，在國際市場上就很難與別人一爭長短，台灣的產品經常給人覺得品質差了一點，擺不上美國最好的百貨公司去，就是因為品質管制做得不太好。

　　美國人購買美國自己出產的汽車時，通常都不選擇星期一或星期五完成的車子，因為他們的員工在星期五就想到隔天就要放假去休息，精神為之鬆懈，星期一回到工作崗位上，玩樂心情也還未完全收斂，產品品質也不會做得太好。

正視提升「匠」的精神

　　但是，日本的汽車、音響電器製品，就不會有這種現象發生，他們的產品，不管是哪一天出產，品質都一樣好，不易故障，正巧迎合美國這個高度講究時間的國度。

　　從如此的差別中，可以發現這和兩國的勞動規律有關，美國的員工只把時間賣給老闆，換取酬勞，不管車子的品質是好是壞。

　　但在日本不然，他們的老闆和員工都有一致的共識，就是產品品質不好，不單是老闆的事，而是老闆和員工雙方共有的責任。員工對企業產品非常的忠誠。

　　這和兩國的社會文化不一樣有關。

　　然而，最重要的還是日本為何在1956年才引進經營理念，為何到1966年，在十年的時間裡，日本的企業產品就能進軍美國的市場，掌握了美國的市場，甚至在登陸了美國的市場後，覺得美國也不過如此而已。進而回亞洲來研究亞洲的社會、經濟，研究自己如何以貿易立國。

　　這就是關係到日本為何能將美國的經營理念加以揉和，並創造出自己的新觀念，把產品進軍世界市場。

　　唯一能對此做解釋的，就是日本的企業員工具備了「匠」的精神。

　　「匠」的精神即所謂敬業的精神，也因為有了敬業的精神而產生了職業的尊嚴。

　　「匠」的精神在日本是備受尊敬的，亦即是正面的價值，例如：在日本，教授、知識分子一直受到人民的尊重，但是在國內卻經常可以發現人們以「教師匠」、「木匠」、「泥水匠」等字眼來卑視別人的職業，以至於「匠」的精神在國內產生了負面的價值。

創造發展產業文化

　　在日本，「匠」的精神及職業尊嚴是不易被金錢所迫而有所

妥協的，例如一位建築工人只要照設計圖把房屋蓋好，而你卻硬要花錢請他多裝一把鎖，他們的工人是絕對不幹的，因為他們尊重設計圖，也自認已照設計圖施工，沒必要為了多賺錢而去做額外的工作。

但在台灣，人們卻把賺錢視為一件很要緊的事，有時為了多賺點錢，還不顧尊嚴，卑躬屈膝，難怪國人的心目中經常存記著「有錢能使鬼推磨」這一句話。

「匠」的精神也可以解釋為修養、禮貌、清潔等精神的表徵。這種精神在日本發揚光大，但這份中國的傳統文化現在卻讓國人覺得食之乏味。

日本人連喝茶都講究茶道，插花裝飾也講究花道。甚至有時候看日本女孩子的舉止羞答答的，好像不夠大方，其實不然，這是一種修養，也是一種「匠」精神的表徵。

日本與我國同是東方文化社會，然而，兩國比較起來，為何，當今又有如此的差異？深入了解剖析，就是日本尊敬了「匠」的精神。而國內卻經常為了求生存，甚至連嚴肅的政治問題也以「馬馬虎虎」的態度視之，請客人吃飯時拿出破裂的酒杯更是常有的事。

還有一種現象就是我們的硬體是贏了日本，但軟體卻差日本一大截，最簡單的例子就是房屋，外貌的豪華我們是贏過日本，但是，廚房、洗手間的內在管理及清潔卻差了日本很多。

最近，國內也經常提到尊重文化及投資文化，這是很可喜的現象，但我要強調的就是重視文化不必與經濟發展對立，而是兩者應該融合發展，如此才能產生真正的產業文化，並提高產品的

品質。

　　產業是有文化的，日本人在這方面就很重視，例如，他們在某件產品外銷前，一定會去研究外銷對象的民族文化、生活習慣，而在設計上講究適於當地的樣式、色澤等，這方面，台灣似乎粗糙了一些。

應該走出自己的路

　　台灣已經光復了40年，經濟也早已起飛，企業產品不應停留在仿冒、抄襲的階段，而是應該拾取別人的好處，批評自己的壞處，揉合出真正屬於有個性、本土的文化，以獨特的文化及產品向世界市場進軍。

　　現階段我們更應檢討及重視「匠」的精神被重視的程度，在這方面，日本足堪做為我們的老師。因為日本和我們的關係太密切了，然而，我們卻又對日本了解得太少、太淺。

　　本土文化是不應該抗拒外來的因素及外來好處的，更不是掉進去就算了，而應該是掉進去後再爬出來，在這方面，台灣不妨透過日本這面鏡子，照出自己的「相」，找到自己的定位，然後回過頭來創造自己要走的道路。

本文原刊於《民眾日報》1986年1月6日，2版。於高雄民眾日報社主辦「國家前途的發展」之演講文，1986年1月4日。由記者陳金聲整理

【附錄】
深入了解、認同自己的文化
──聽戴國煇的一場演講有感

◎ 羅正義

　　日本立教大學教授戴國煇，1月4日在高雄市發表專題演講，從一些小例子來說明日本人拿中國的「匠的精神」，應用在他們的社會上，成功地凌駕歐、美各國。

　　戴國煇回國參加《聯合報》在南園舉行的未來十年發展學術研究會，應《民眾日報》社長李哲朗之邀，專程在回日本前一天，到高雄發表演說，大題目是「從日本、美國看台灣」，副題則是「品質管理與『匠』的精神」。

　　戴國煇全場說的主要概念就是，日本經濟發展與文化配合，把原本是中國的東西──匠，運用得恰到好處，產生了所謂的產業文化，這是日本人成功的原因。

　　他舉例說，日本的汽車、電器不容易故障；美國則不同，他們說，不要買星期一、星期五的東西。因為美國人做事向來以金錢來衡量，星期一剛上班，星期五要休假了，超過一分鐘都不會多做，品質自然受影響。

　　日本就不同了，日本雖然也鬧工資糾紛，但是整個企業就像一家人、共同體一樣，日本員工認為東西不好，不只是老闆的恥辱，也是每一個員工的羞恥。

　　戴國煇又舉例說，他在南園參加《聯合報》的學術研討會，他抽到的房間算是最好的，但是隔一天服務人員送來的毛巾，好像是新的，其實是昨天的；一個大飯廳，還有破玻璃杯。南園剛開放，舉行這樣一

個學術研討會，卻有這樣子馬虎、隨便的事。

戴國煇說，這個不是《聯合報》王董事長的意見，這是工人的隨便作風，敷衍求生存。

再看看日本，戴國煇舉自己為例，他翻修日本房子，有一間客房，木匠堅持不裝鎖，因為這是日本人的規矩。木匠的態度完全是對職業的自尊。他換浴室地板，工人也堅持自己設計的傳統作法，不妥協。

戴國煇說話低沉，他一再拿自己做例子。他說，台灣的房子外表看起來豪華，裡面的衛浴設備卻很不好，日本則相反，他們的硬體——指房子，不一定好，但軟體——指設備，卻非常講究。尤其是餐廳的廚房設備，日本人吃生魚片，衛生非講究不可，但台灣就不同了。

他說，日本人這些都是匠的精神，忠於自己的工作，像日本有茶道、花道，女孩子還沒出嫁，先學禮貌、整潔、修養，把匠的精神發揮到極點。

反過來看台灣，匠卻是負面的，像書匠就是書呆，日本人的匠卻是非常受尊敬的。

研究農業經濟的戴國煇在日本待了29年，在美國待了一年，他把這兩個不同文化、環境地區的社會狀況，拿來與台灣比，發現日本人成功的地方，就在於把經濟發展與文化合併，即使美國也不行。但在台灣，經濟卻與文化有了衝突，戴國煇認為這兩者應是可以並行的。

到現在仍保留中國籍的戴國煇說，在印象裡，台灣在1972年後經濟才突飛猛進，雖然學了不少日本東西，但不成功。

他說，日本明治維新影響了中國，又向德國學了一套，1956年日本才算是重新開始，發表了經濟白皮書，把美國那一套品質管制學過來，全部融合起來，產生現在日本獨有的社會文化——匠的精神。

他解釋說，美國的品質管制，也是來自二次大戰製造軍需品得來

的經驗,他們都強調品質,講求管理。

　　戴國煇認為,日本人從幼稚園開始訓練,從家庭生活開始,他們有身體語言,這些都與品質管制有很大的關係。

　　他說,日本這樣一個社會文化,尊重匠的精神,結合了品質管制的概念,是近代產業經營方式,才能產生高品質的東西。

　　這位經濟博士說,經濟發展不應與文化對立,應該互相融合。他再強調,這是一種產業文化,要先研究自己文化的東西,深入了解後認同自己的文化,才能對抗別人的文化,才能結合經濟發展,融合經濟的東西,創造出自己的文化。

本文原刊於《政治家》第137期,1986年1月18日,頁61～62

從小學教育看日美差異

　　我們家有三個孩子，二男一女。他們都出生在日本。不曾進過「中華學校」一類以中國話做為教育媒介語言的學校。從小念的都是日本學校，因而我們家五口人在家裡的共同用語，基本上是日語。

　　老大已念到大四，老二念大二，他們的中文是進了大學之後，才跟日本人老師和日籍華人老師學的。

　　台灣的小學有家長會，日本的小學同樣亦有類似家長會而名為PTA（Parents and Teacher's Association）的組織。名分上是家長與老師們合組的校內組織。本是敗戰後學自美國，但時間一久，逐漸變成有其名而無其實的組織。

　　孩子入學時，一定得填上家庭狀況表。必須把父母以及兄姊們的學歷和職業寫清楚，以便學校當局掌握學生的家庭教育背景。

　　這一類家庭報告表，有時會惹起不少麻煩。一般而言，除了有過較為長期的相處外，家長們很難知道其他家長們的學歷和職業。不過人們總是好奇的，大概入學後不久，都會透過「口傳」得出一些資訊，每個人都將保有某種程度的彼此認識。

每逢PTA選舉幹事、會長等領導班底時，缺席的缺席，推諉的推諉，總是面臨難產的窘境。

想起來也難怪，近二十年來，日本的標準夫妻都以一男一女或二男一女為理想。男女比率能否達成願望，則另當別論，但每家的孩子人口數，的確是以一至三人為普遍現象。

送孩子上小學期間的日本家庭，平均而言，經濟狀況是相當艱苦的。小夫妻為了儲蓄購屋資金或為購屋的分期付款而忙於賺錢，誰也不願在PTA活動上多花精神或時間。

日本社會，通常都甚為禮遇在研究所以及大學服務的學界人士。一般人往往也可能對學界人士有「美麗的誤解」，認為我們的同行，人人的口才、文功都屬上乘。

口才、文功既然都屬上乘，大家總認為PTA的領導班子當然非學界人士莫屬。

我們夫妻常是全校或全班唯一的中國人家屬，雖然會長一職不便讓亞裔家長（白人不受歧視，反而因其白皮膚而倍受青睞）擔任，但碰到編刊物和會議場合，司儀卻總不會放過我們。

當「家庭狀況報告表」給我惹起了麻煩時，我頓時憶起鄭板橋的「喫虧是福」幾個好字。身為中國人家長，當然更不便示弱，只好慨然接下「任務」。

累積了幾次經驗後，1983年春季我攜內子同小女（斯時小學四年級）赴美客座一年。小女英文一字不認，我們把她直送到柏克萊的一所公立小學。從此，我們夫婦便透過小女向美國的小學學習了不少事情，還得以與日本的經驗相互比較。

據我在日本30年的體驗，日本一般老百姓在家對孩子們都是

「甜甜」地，他們認為，教育該由學校來全盤處理。超級「教育媽媽」亦然，她們只關心如何教子女去適應學校的環境，並求得優良成績單。據我未成熟的看法，美國人的著眼點以及運作輕重的層次與日本人有相當大的差異。

老美的小學教育觀，基本上是以家庭教育做其出發點。因而他們認為，學校教育係彌補父母在家庭教育裡不易或無法達成的部分，這部分必須藉助學校（專家以及社會組織）來完成。教育專業之運作的主體在於雙親，輔助者則為教師。PTA也就是導源於此。

但美國社會在近二十年來的激變，如離婚家庭的激增，麻醉藥品的氾濫，大大使老美家庭教育面臨崩壞之邊緣。「單親」家庭的激增，使父親或母親難以樹立或保持「威信」來推行家庭教育。父母親或單親日漸承擔不起這份負荷。因而有家庭諮商（family counseling）的專門行業之出現。

小女的同學們喜歡到我們家來玩，有猶太裔的，亦有黑白各種族的美國小孩們，吵吵鬧鬧，好不熱鬧。

後來，慢慢地我們才知道，來我們家玩的孩子多來自單親家庭，到了下午六時，他們的父親或母親即開車子來，接她們回家。

半年多觀察下來，我們察覺到他們雖有孤獨的陰影在，但是卻處處表現每個人的強韌性，他們雖只是小學五年級，吃完了點心，都會自動地幫忙洗盤子或杯子，有時甚至還會幫忙打掃。

日本人的父母們傳統地把孩子們（特別是小、中學生）當作「保護」對象。

　　但是美國人卻認定小中學生要有「強韌性」和「成長性」，必須加以「培訓」及開導，使他們能夠獨立自主。

　　美國父母注重孕育子女的個性，隨而又重視子女們個別的生活體驗之累積。他們不像日本的父母，過於拘束於學校課堂裡的功課。

　　我赴美不久，有機會帶妻女前往亞歷桑那州立大學訪問，然後轉遊大峽谷。我們依照日本習慣，寫了一份請假單，還特別親自向班導師面述理由。

　　出我們意料之外的是，班導師雙手攤開，說了聲wonderful（好極了！）還在班上公開地向同學宣布「興夏（我們女兒之名）非常幸運，她有機會到老師一直很嚮往的地方旅行，希望她回來時能為我們做些報告」。

　　通常在日本，父母們總認為脫班外出旅遊是不正當的。曠了課，將影響到學業成績。後來想起來也真好笑，我們一直習慣於日本的生活方式，在這之前從不曾懷疑過日本式的想法或作法。

　　小學生就算少上了幾天課，絕不致為她的將來發生太多的負面影響。不但如此，還恰恰相反，我們女兒一路搭著「野馬」牌車子，親自體驗到美國大陸之大、風景及產業之多采多姿、氣候之變化等。美國紅人紀念博物館的展覽，更開了她的眼界，她不再認為美國印地安人是落後或劣等的，真是莫大收穫。

　　這一類生活體驗的累積，才是真正可以直達為「學力」的「要素」。

　　日本的教育界近年對學歷至上主義，已有反省和重新檢討的動向。

　　我們的社會正邁向「成熟」的社會，我們不應該繼續追求「外華內虛」而唯學歷是問，「官大學問大」、「洋博士至上」等陋習，更應徹底革命，繼續原地踏步則大可不必。

本文原刊於《日本文摘》第8期，1986年9月，頁40～41。原總題「在《日本文摘》漫談日本、美國與台灣」

做爲意識形態的日語

◎ 李毓昭譯

　我今天的主題是與留學生的心理有關的三個課題。

　第一個課題其實與日本的「母親」成果甚佳的領域重疊。雖然留學生的年齡不一，但是對他們來說很重要的人格形成期、青春期是在日本的大學或研究所求學中度過的。這個年紀的人通常會有特有的身分認同病理或認同危機的問題。對於留學生懷抱的問題，如果推動母親運動的各位，都能以明確的問題意識去處理是再好也不過的。事實上，我就是這麼期待，以這種想法心懷感謝。

　第二個課題是所謂的「文化衝擊」問題，這方面是很常見的，我想不需要我在這裡多言。

　極為重要的是第三個，也就是殖民地體制的遺緒——與做為「白的囚人」的自己相遇、對決的問題。我覺得幾乎所有日本人都沒有注意到這個部分，更不用說去省思或質疑，所以才在今天提出來，與大家一起從原理和邏輯上的層面來思考。

　殖民地體制如大家所知，是近代歐洲建立的世界性體制。我知道各位目前照顧的留學生主要是來自於第三世界，或者可以說

他們是從以前的被殖民地國家來的。殖民地體制曾經存在於各處，但到了現在，在政治層面上幾乎可以說都消失了。一般地說體制雖然在形式上消失，但是在形而上還是存在。就某方面來說，就是還有傷痕留存的問題。我想各位對「白的囚人」一詞並不熟悉。我們共有的人類史過程中，以白人為主的帝國主義將第三世界當成殖民地控制，透過種族歧視，以自我中心，也就是以「白人」為優勢的價值體系去壓迫本來就住在第三世界的原住民，而不知不覺地在被殖民者社會中製造出扭曲的精神世界。結果造成人性破壞，不自覺地進入以歐美為中心的價值體系，主動成為囚人。我把這種情況稱為「白的囚人」。

來到日本的留學生多半直接或間接地背負著這種傷痕。雖然他們多半沒有自覺或絕口不提，但我認為這麼猜想大致上是沒有錯的。他們會去比較自己在祖國和來到日本後的這種「白人」價值體系囚人的身分或身為囚徒的自己，而再次與這樣的自己相遇。這時，我猜想他們知道在原理性的、思想的層次上對決是必要的，而且一旦成功，他們就會「變身」為各位所期待的最佳留學生。唯有能真正獨立思考、能夠自立的留學生，才會成為留學生的前輩。

大家都知道，日本這個國家曾有50年漫長的期間在台灣強制推行殖民體制。台灣出身的我決定來日本留學時，不見得是以順服的心態輕鬆前來的。雖然這些話很難說出口，但為了與各位日本人結為真正的朋友，我覺得還是說清楚比較好。不過就算說出來了，還是會有無法讓大家理解的地方，真是遺憾。

現在我們來看看日語對留學生來說「究竟是什麼」這個問

題。對留學生來說，日語是在日本大學念書的工具。不先學好日語，其他的事就甭提了。可是再仔細一想，有時候日語並不只是工具而已。例如，我是在日語已經很流利的情況下來的，可是對我來說，日語不僅是工具，而是殖民地統治價值的一部分，在殖民地體制的架構中，有其歷史因素和背景。這裡面有一個問題，就是我如何在這裡面接受日語本身的價值，或是被囚禁在裡面的精神結構是什麼，又衍生出什麼樣的結果？

　　接著就會引發日語做為一種意識形態的問題。做為一個人，要以像人的方式活下去時，就要思索一個課題：基本上要以什麼方式看待「外語」？這是什麼一回事？舉個例子來說，通常我們會不自覺地接受「做為意識形態的英語」。社會上總是縈繞著會說英語就特別了不起的氣氛。原本在明治維新後，大家的祖父輩為了跟上歐美、超越歐美，而把英語或德語、法語當成行動的工具而學好。日本以「和魂洋才」的方式構築近代化，尤其是戰後對美傾斜的情況下，不知不覺地把英語當成價值本身去接納。把在美國電影看到的美國社會當成「實體」，以幻覺把它擺在價值的上位。我們就是在這種情況下，不自覺地遭到囚禁。當然，這並不是日本獨有的狀況。在非社會主義的第三世界中，這是非常普遍的社會現象。

　　以前的日語並沒有這種問題。可是在這三、四年，隨著日本變為經濟大國，東南亞國家開始對日本投注渴望的目光。連一些曾批評日本帝國主義的中國大陸高官也說了一些話，似乎在肯定日本各種各樣的事物。甚至傳出新加坡的李〔光耀〕總理、馬來西亞的馬哈迪（Mahathir Mohamad）總理以「向日本學習」或

「往東看」來激勵國民。日語也就慢慢變成了可賺錢的語言。把
日語當成工具去學習日本民族的形成史、日本文化或日本近代化
正‧負面等意識逐漸稀薄，轉而產生學日語有助於找到好工作、
可以賺到錢的情況。也就是某種「虛構」，如日本或台灣接納英
語的形式開始橫行。學習日語，取得「輕薄短小」的日本文化
「渣滓」的風氣愈來愈強。應該如何避開其中的陷阱，給「做為
意識形態的日語」正確定位，擺脫囚禁，以互相自由的立場與留
學生共同構築充實的精神世界，就是我要提出來的問題。我認為
一切事情都是相對的，不能把任何事情當成絕對。因此，教留學
生日語或一起用日語交談時，如果能抱著一些問題意識，了解日
語所帶有的錯綜複雜層面，各位的志工活動就會做得更好。在
此附上美國著名的黑人作家理察‧萊特的文章影印本〔Richard
Wright ‘*White Man, Listen!*’ p. p.36～37 Anchor Books Edition,
1964〕，做為各位了解第三世界語言問題的參考，請慢慢仔細閱
讀。

本文原刊於《留学生と私たちの步み》第28號，東京：YWCA「留学
生の母親」委員會，1987年1月，頁6～9

網球場百態

◎ 林琪禎譯

　　我認為，人生是一連串「後悔莫及」的累積。

　　對我來說，網球也是其中之一。愈接近花甲之年，愈是後悔自己怎麼不早一點回到球場上磨鍊球技。

　　第一次握網球拍，是1949年的夏天，高中二年級的時候。但其實我所就讀的高中並沒有網球社團或網球隊。我開始打網球的歷程，要從1949年春天，二十世紀福斯影片公司（Twentieth Century-Fox Film Corporation）的遠東分社，為了避開內戰從上海遷到台北的這段歷史說起。

　　認識該分社的白俄羅斯人經理，他就是帶我進入網球世界的人。

　　當時，我真正從事的運動「正業」是足球與排球（九人制），足球擔任中場，排球擔任後衛中的位置，因為運動的關係而曬得黝黑的肌膚，甚至為我贏得了「黑人（black）」的「雅號」。回憶起來，那段青春歲月還真「耀眼（？）」。

　　由於該分社的經理欣賞我的模樣，問我要不要當他的球友順便當撿球的球童，還說每個月給我15張的電影招待券，球拍

是Slazenger的新產品，打完球之後還有咖啡和牛奶可以喝。請各位回想一下1949到1950年代的國民所得吧。無論我再怎麼以「硬派」自居，還是很難克服這樣的誘惑。

每週兩次，星期三和六的傍晚去當他的對手。遺憾的是持續了約一年數個月，他就回美國了。1950年代初期的台北，有硬式網球場地的只有台灣銀行和美國顧問團的球場。網球都是香港進口的，價格也頗為昂貴。不得已，網球只好就這麼停了下來。

1955年的秋天，我來到日本留學。在農學部這個重視「淳風美俗」傳統的校區，網球是奢侈的象徵。再加上當時正值「美智子熱潮」時代，街上隨處可見拿著網球拍做為「時尚配件」的年輕人。我的研究室當時充滿左翼「進步」的風氣，網球自然就這樣默默地被視為墮落的象徵。

也許也是因為勇氣不夠吧。我最後頂多一年一次，利用商借恩師坐落於輕井澤別墅的機會，前往千之瀧球場，打個四至五天的球過過癮而已。

真正回到球場，是50歲過後的1981年了。我在JR三鷹車站月台上看到了看板廣告，於是加入了三鷹家庭球場俱樂部。

長年的荒廢與中年發福的身材雖然令我感到慚愧，但我還是持續我的網球人生。如果我寫道心中充滿感謝，讀者諸賢可能懷疑「是真的嗎？」但這些真的都是我的「心聲」啊！希望我的各位球友你們都能相信我是真心的！

話說回來，這十幾年來，一直試著將精神分析學派的研究方法帶入我的研究之中，這段努力幾乎可以用惡戰苦鬥來形容。

加入網球俱樂部之後，無論是打球比賽，還是觀看比賽，或

戴國煇全家合影於日本三鷹網球俱樂部。
前排左起戴國煇、林彩美、長女戴興
夏；後排左起次子戴興寧、長子戴興
宇，1988年（林彩美提供）

者賽後小酌，任何時候我都忍不住試著用精神分析的方法，去研
究我的眾球友們一番。

　　挑選夥伴的奧妙、不同的球路、挑選對手的方式、比賽的進
行、啤酒與菜餚的點菜方式，將這些流程都試著用「精神分析」
的角度去分析，可說其樂無窮。

　　1983年3月底到1984年4月初，我在內人和女兒的陪伴下，以
訪問研究員的身分，前往加州大學的柏克萊（Berkeley）分校研
究一年。

　　美國的大學校內有許多的球場，除了上課期間，民眾都可以

自由地前往打球，在利用上十分方便。

　　然而，方便也會帶來不便，這是社會的常態。美國民眾很多都是二人一起來、單打數場後即結束。在美國的一整年之間，很不可思議地幾乎沒有看到過雙打的組合。

　　另外，球場雖然有公廁，不過一般都是鎖上的。某天我忍不住向自柏克萊退休的老教授詢問這個問題，博士說：「不知是該說美國的資本主義發展到成熟了還是墮落了，廁所不是被拿來當作臨時賓館，就是成為犯罪的溫牀。因此除了上課期間，都是不開放的。很可悲啊……」

　　話說回來，有人說品味會隨著時間改變。我在美國用的網球是Penn牌的，回日本時還帶了二罐回來用。不過在俱樂部的球友之間卻未受好評。但是有趣的是，自去年秋天起，俱樂部所使用的球竟也改成Penn牌的了。還有另一點有趣的是，在台北無論是Penn牌還是Dunlop牌的都不曾看見，仍以Slazenger牌為主流。這又是為什麼呢？面對這些網球場上的百態，光是思考，便覺得趣味無窮。

本文原刊於《Court Side》第35號，三鷹市：三鷹グランドテニス，1990年1月，頁9

基於同鄉意識的強大團結力
——以客家的身分來說一句

◎ 林琪禎譯

　　我認為客家人和猶太人之間有許多共通的地方。因一直受到差別的待遇，所以特別團結。要團結就必須要有一個核心，促成猶太人的團結的核心是宗教；而客家人的團結核心則是同鄉意識。在華僑之中，也以客家人最為團結。

　　客家人的個性頑固，說好聽一點是有個性，說難聽一點則是好強。戰後急速擴大的馬來亞共產黨的指導者陳平即是客家人，與之對抗並獲勝的李光耀總理，也是客家人。在那個時代能對共產黨贏得勝利者，也只有李總理一人了。他的執著與戰略性，確實令人畏懼。

本文原刊於《日本經済新聞》，1990年6月4日，第52頁

那天我是在──

◎ 陳仁端譯

　　1945年8月15日正午，在悶熱的台灣。我在R前輩的房間裡，和他一起聚精會神地守在收音機旁。R是個文武雙全而富於正義感，又具有強烈民族精神的人。曾經夜襲過蠻橫的日本人學生，又因持有不良書籍而被憲兵逮捕，正在受退學處分中。

　　正如政治意識高而情報靈通的R所預測那樣，日本終於戰敗投降。R說：「今後要讀書了。要學習孫文、三民主義和北京官話。也為了回看日本人，不努力不行……。」

　　同一天晚上的餐桌上，父親這樣主張說：「人們說恩義一年，怨恨一生。做為具有悠久歷史的中華民族的一員，我們應該把它顛倒過來。對日本人的怨恨要在一年內清除掉，受到的恩義，即使對方是日本人也要感謝一輩子。特別是不要忘記好老師的恩義。」父親曾因從事抗日運動而坐過牢。當時初中二年級的我聽了父親這一番話，心情真複雜。

本文原刊於《三省堂ぶつくれつと》第90號，東京：三省堂，1991年1月，頁23

從ㄅㄆㄇ到二二八

　　只因一句話，我們這些1950年次畢業的建國中學高中部的同學，既是大時代的「命運之子」又是大時代的一群「頑童」在闊別多年之後相聚了。

　　今年，算起來是我們畢業後的第42個年頭。趁我在台出版《愛憎二二八》，3月14日大家聚首台北市安和路的「合家歡俱樂部」舉行了一個小型同學會。玩伴們不但不買我書，逼我非送不可，還得簽名（一笑）。理由甚為簡單，同學中沒有一位料想到彼時戴國煇即此戴國煇，會寫書還會幹起學者這一行業的。甚至有一些不客氣的老頑童搖頭大笑道：「別小看『黑人牙膏』（同學給我的雅號？）喲！戴國煇居然幹得滿像個樣子哪！」

　　記得在去年歡迎我們夫妻返台的小飯局，就有簡弘毅（台灣銀行副總經理）提出過疑問。大家寒暄乾完了杯不久，弘毅就拉高嗓子說：「嘻……當代台灣有兩個不可思議的事，第一，我簡弘毅連大學都沒有念完還當起台灣銀行副總經理來；第二，成天在球場打滾的老黑（black）戴國煇，會在日本名大學幹起他的名教授，還寫了不少書，你們不覺得奇怪嗎？」

　　相片不管其新舊，都是好。它勾起多少美好的往事回憶，也

喚回我們青春騷動期的辛酸糗事一籮筐。

　　建國中學本為日據時代的台北州立第一中學，基本上是只許日本人念的菁英中學。台籍學生特別被准許入學的，一班只有一兩個而已。台灣光復後，日本人被遣返，「台北一中」也被更名為建國中學，擁有初中部和高中部。我們在學期間男女還同校過，北一女當然就不像當今這般「囂張」。

　　二二八事件（1947年）時，我們正念初三。我們那屆有A、B、C三班。A班與B班是本省同學念的，C班為外省同學的班，而也只有此班有女生。我們A、B兩班的真是羨慕C班男生的「豔福」，大家雖然蠢蠢欲動想轉入C班，卻又怕國文程度差而趕不上。光復才一年多，本省籍的學生不會講國語。日據時代雖有漢文的必修課，當然認得漢字，但當為「國學」的漢字就難倒了我們，只好從ㄅㄆㄇ開始學起。

　　來會的11個同學中，C班出身的有陸震來（台大外文系教授）和唐松章（崇友實業的董事長）。震來為台大陸校長之公子，松章是福州籍（日據時代）的華僑家世，他出生在台灣，國語比我們好不了多少，但他為家人所逼念C班，從而獲得與女生同班的佳機。可是常聽到他為了國文考試叫苦連天。剩下九個則全為A、B兩班的同學。但談及日據時的在籍校卻是五花八門。唐松章因是華僑只能念私立台北中學（現在的泰北）、丁逸民（在美水產學博士）來自彰化中學、林明德（台北地方法院院長）、黃士嘉（美商萬通銀行駐台代表）、林子貫（福廣物產公司董事長）與王世哲君皆出自台北州立第四中學、蔣聖愛（前台東縣長）來自州立台東中學還具有山胞的血統、陳火城（在美經

商）則先念私立的台南長榮後經嘉義省中再插班進來的、詹德義
（大昌電子工業老闆）與我係客家由新竹中學轉來。

　　我們的出身背景複雜反而帶來朝氣，既沒有閩、客，又沒有
漢人、山胞之分。更不曾有過低層次的省籍矛盾之爭執。在度過
光復、二二八、國府中央的遷台、白色恐怖、韓戰爆發這段社會
政治翻騰攪擾不已的多事歲月，我們的校長避難去大陸，老師突
然失蹤死於非命，有些同學被捕入獄，其中摻雜了欣喜、憤怒、
悲哀、壯懷激烈的多種複雜情緒，但我們慶幸依然地能保持著那
份純樸的友情至今。

　　　　本文原刊於《時報周刊》第738期，1992年4月19～25日，頁156。為
　　「名人同學會(35)」專欄內文章

【附錄】
本省外省，有情分無情結

　　前一陣子，提起戴國煇教授，就讓人聯想到他為「二二八事件」所做的各種學術研究，然而在強人時代，壓根兒也沒有人會敢在新聞媒體上，將他和「二二八」研究相提並論。

　　這不僅是整個時代的進化，而且是戴國煇這半生歲月中，經歷的無限滄桑。

　　1945年，台灣光復後，戴國煇正在新竹中學初中部讀書，他還記得，國民政府來接收時，他曾經夾雜在人群中，手持中華民國國旗和國民黨黨旗，參加迎接國府官員和國軍部隊的到來。

羨慕C班同學男女合班，慶幸自己國文課程淺顯

　　不久，戴國煇轉學到台北建國中學，早在日據時代，建中就是台灣頂尖的中學校（日據時代稱「第一中學」），唯一的不同是：當時只有日本學生才「夠資格」進入這所學校，台灣學生即使再優秀，也只能望門興歎。

　　而戴國煇到建中初中部念書時，學校分為A、B、C三個班，當時，大陸外省籍同學因為跟隨父母來台工作、經商，慢慢多了起來，但因為台灣同學全是受日本教育，較諳漢文，會講流利國語的非常少，再加上人數上的安排，學校當局就把本省籍同學大部分編入A、B兩班中，這兩班清一色是「和尚」──男生，而C班則十之八九是大陸籍，男女合班。

當時，同學們幾乎都沒有什麼省籍隔閡，更違論暗地分什麼楚河漢界。

即使語言還不是講得很通，A、B班的本省同學，和C班的外省同學之間，無論是讀書、玩樂，仍舊和現在一般學校一樣，和睦相處，打成一片。

戴國煇半開玩笑地說：「當時，我們最羨慕的就是C班，因為C班有女同學，我們班上全是男同學！」

雖然班上同學都羨慕C班能男女合班，但提起C班要上艱澀的國文課，A、B班同學就對他們較為淺顯的國文課慶幸不已。

目前在商界頗有名氣的唐松章先生，雖然家人早在日據時代，就從福建遷來台灣，所受的是日本教育，然而光復後，他進建中初中部，卻被學校分到C班，每逢國文課或國文考試時，就叫苦不已，畢竟，大陸同學從小便是受私塾或中文教育的關係。

但，唐松章也在那時打下深厚的國文底子。

目前任教於台大的陸震來，台灣光復後，因父親陸志鴻到台灣大學任教職（編按：陸志鴻後來曾任台大校長），也由原先就讀的南京中央大學附屬中學，轉學到建中初中部。

沒有省籍意識相處融洽，曾親睹二二八事件悲劇

陸震來甫入建中，就不覺得同學間有任何省籍意識的區隔。

但是「二二八」事件，卻在他們這群年方十四、五歲的初三學生心中，烙下令人感傷的印記。

民國36年，2月28日上午，戴國煇到台大醫院看一位在醫院服務的親戚。隔不久，就有消息傳到醫院說，菸酒專賣局台北分局附近「出事了」，有人傷亡，現在有老百姓要去包圍長官公署。

　　台大醫院許多員工聽到這個傳言，紛紛登上醫院頂樓，遠望長官公署一帶，究竟有沒有事情發生。

　　基於少年的好奇，戴國煇也和台大醫院員工們簇擁著，登上醫院最高點，朝長官公署方向眺望，果然，他見到一支請願隊伍，緩緩向長官公署包圍推進，正當大家屏氣凝神、靜靜觀望了幾分鐘後，一陣尖銳的機槍聲「噠！噠！噠……」在長官公署大樓附近響起，只見許多民眾應聲倒地，沒給子彈打傷的則四處潰逃，慘叫連連。

　　戴國煇至今還難以抹去腦海中這幕不幸的印象。

　　然而，「二二八」狂潮並沒有給建中帶來太大的衝擊和破壞。

　　「畢竟同學們大家年紀小，還很少人能理解成年人的政治觀念。」

　　讀C班的陸震來，回憶「二二八」那天下午，他一個人騎著腳踏車，想去當時的西門町看電影。他突然發現那天的台北市有些不對勁，一路上到處見到鬥毆、追殺的暴力場面，陸震來從市面上嚴峻的空氣中，嗅出一種山雨欲來風滿樓的氣氛。他只好被迫騎車折回台大宿舍的家中。

　　那幾天，擔任台大校長的父親陸志鴻，接到不少匿名恐嚇信，陸校長基於安全因素，便將陸震來和他姊姊們，一塊送到某位台籍教授家中暫避鋒頭。

　　每每回想起他們少年時代，親眼目睹因省籍隔閡與誤解，造成的「二二八」悲劇，戴國煇和他的同學們，總是不勝感慨。

　　我們經常說，其實不管本省人、外省人，大家八百年前都是一家人，都是炎黃子孫，但是，我們更應正視：就因為大家都是凡人，有良善公義的一面，也有醜惡私利的另一面，我們要避免「二二八」歷史重

演，除了當務之急的撫平省籍歧見，更要在社會人群當中，散播良善公義的種子，斬斷醜惡私利的枝蔓。

本文原刊於《時報周刊》第738期，1992年4月19～25日，頁116～117。由《時報周刊》編輯王丰採訪整理。當日參加同學會者計有：戴國煇、蔣聖愛、唐松章、林明德、丁逸民、林子貫、黃士嘉、王世哲、陳火城、詹德義、陸震來

立教大學的最後一堂課
——我的日本40年與立教20年

◎ 李毓昭譯

（一）講題說明

1. 感謝（對於在日本接觸的優越個性與知性表示謝意）。
2. 總括（嘗試做為下一個「春天」之糧）。
3. 對日本戰後民主主義保護下的「生」與「自由」（因此不是虛妄的）表示感謝之意。

（二）對「我」的無限堅持

1. 基於自我驗證與自我凝視與近現代史之間的關聯。
2. 對「淡化」的小小抵抗（對邱永漢、陳舜臣等事例的思考）。
3. 面對日本重返亞洲做為一個「良心」的角色（大時代的浪濤已開始翻滾。提防不被吞沒持續發言）。
4. 長期堅持追求自己的「生」與「自由」的證據並持續之。
5. 有必要從「我」自己的歷史存在、同時代史的存在出發。

（三）三個尊嚴與四個方法

1. (1)出生的尊嚴（矜持）；(2)民族的尊嚴；(3)職業（學術研究）的尊嚴。

2. (1)批評性比較考察；(2)原理層次上的思考；(3)邏輯層次上的處理；(4)思想層次上的議論。

　　例如：金達壽有關城隍廟的話（日本之中的朝鮮）、台灣某教授的「台灣話之中的日本」（〈長恨歌〉與《源氏物語》的關係是一個例子），和思考司馬遼太郎《台灣紀行》中的台灣無主之地、化外之地論等事例。

（四）歷史「家」或研究者應有的風範

1. 史觀（歷史哲學）（活在歷史中，不，我認為非活用不可）。
2. 史識（知識、知識與認識的混淆在中國人的社會中很常見）。
3. 史德（與歷史寫作法的關聯、在台灣的訴訟問題）。

　　　度過　　　　　活著　　　　　生存　　　　三者間的關係
　　　　↓　　　　　　↓　　　　　　↓
　（不能太認真）　（無轉向論的社會）　（探究存在的意義）

4. (1)The Past As History；(2)The Present As History；(3)The Future As History

　　做為歷史的過去　　做為歷史的現在　　做為歷史的未來

　　（如何洞察、掌握此地下水脈，完全掌握之然後去預見，就是近現代史研究的致勝關鍵）

（五）歷史研究的目的

1. 與無力感、無用感的抗爭（對抗「再見亞洲」、「歷史的終結」等謬論）。
2. 繼續艱苦的戰役（反殖民地主義、反帝國主義、反全體主義。因此，對和平的祈求是根本的願望）。
3. 應有的實證研究與批判性歷史敘述的目標還在遠方。

（六）思考台灣問題、台灣史、華僑問題、華僑史的熱潮

1. 近現代史研究；研究「學院主義」與新聞之間。
2. 媒體急著類型化，有淪為其囚徒而喪失自我的危險。

（七）暫定的結論

1. 歷史無法光從必然性來解釋或理解，因為歷史是在偶然與必然的相乘中移動的。
2. 近現代史研究有其特殊性，時間的洗禮、削除衣褶（=多餘的部分）時不充分，到處都是變數與謎團。判斷時要慎重。
3. 做為同時代的人要研究同時代。培養生活者與生產者之間的平衡感，以努力挑戰書生論議的局限為目標。
4. 來自體制和現狀維持派的誘惑很多。要耐得住金錢誘惑。
5. 「生」終究是原則，也必須有「活」的餘裕。為了不被資訊過

多的時代和疏離狀況加重的情況所影響，「不要看得太認真」
的生活智慧是不可缺的。不然的話心臟會受傷，壓力累積，就
會罹患癌症而猝死。近現代史研究終究只有壯起膽子腳踏實
地、細水長流地努力。

最後要唸一首漢詩（唐朝劉商的〈送王永〉）：

君去春山誰共遊，鳥啼花落水空流。
如今送別臨溪水，他日相思來水頭。

要來台北！謝謝各位長時間的聆聽！

　　本文係為未刊稿。於立教大學禮堂演講之演講大綱，1996年1月24
　　日。為戴國煇教授要離開日本立教大學前，最後一場演講的演講大
　　綱，深具意義，故特此收錄

我的日本經驗
——大學的教育與研究

　　說在前面：非常的冒昧，在此提出我狹窄的一些經驗和見聞，供諸位先進參考並討教。當然，我本人知悉，這些都不能無媒介地來一般化的。只是奉黃俊傑教授之命前來獻醜而已。

（一）日本40年（1955年11月～1996年5月），分三個時期：

1. 東京大學的十年（學習與研究）

　　日本雖因戰敗受到太平洋彼岸美式教育新潮之衝擊，但改制後的東京大學仍然老神在在地保留著舊東京帝大＝德國講座制，並有百花爭開（天皇制及治安維持法【相似於《動員勘亂時期臨時條款》】的解構帶來了學術研究之自由氣氛）的正面相貌＝戰後東京大學之黃金時代。

2. 亞洲經濟研究所（The Institute of Developing Economies, IDE）的十年（研究與兼任講師）

　　IDE為日本最大的政府系（特殊法人）第三世界研究所。本

人為唯一外國籍正式研究員。在此所，經驗了集體研究的組織，進行編報告書等業務。發現有：

(1)欠缺教育對象（學生）的研究組織必然出現的缺陷。研究與教育應該保持有機連動關係（研究→教育→刺激→再研究）為善。

(2)有關個人研究與集體研究之間的功能差異和效率亦獲得不少心得。

3. 立教大學史學系暨史研所的20年（教育、研究、行政）。

立教和舊上海聖約翰大學為姊妹校，美國聖公會系教會大學。

（二）研究、教育的機制（system）在日本

以舊制帝國大學及舊制私立（綜合）大學為依據，加以闡述：

1. 戰敗前（舊制）

小學（6年）＋中學（5年抑或4年）＋高等學校或大學預科（【先修班】3年）＋大學部（3年）＋大學院（研究所，但尚無碩士或博士班之分）。

2. 戰敗後（新制）

1947年4月實施所謂的六三制：小學（6年）＋中學（3年）

＋高等學校（＝高中【3年】）＋大學部（4年）＋大學院（前程課程【碩士班，2～3年】＋後期課程【博士課程3～5年】）。

3. 大學部

(1)前期教育（教養部或一般教育），1～2年級。

(2)後期教育（專門學部教育），3～4年級。

　　但人文、社會科學科系多為一般性教育，撰寫學士畢業論文之必修規定已逐漸減少。理工科系偏重於專門研究課程（培養研究工作者為重）。

4. 研究所

(1)前期課程（碩士班）：特別講義和研討性授課會（seminar）課業，目標放在磨鍊問題意識（發現問題的所在），研究目的意識之建構，方法論之傳習，論文撰述之指導。

(2)後期課程（博士班）：主要在論文撰述指導，有關學界的尖端論文的批判性檢討，綜合演習（科系有關師生【研究生，不分碩博士】一起參與，期待能獲得更廣泛切磋琢磨的機會及效果。

（三）當前日本之大學及學界所面臨的課題

1. 財政的困境

(1)經濟逐漸近於零成長，稅收之減少逼迫教育預算之縮減傾向（私立學校之財政補助同）。

(2)銀行利息利率之降低，影響基金（私立學校）運用益收（果
　　實）逼迫私大財政（連退休教授之年金額及在職人員薪金都有
　　減額動向之出現）。

(3)少子老年社會之常態化，應考學生之減少抑或入學學生數之減
　　少將威脅學費收入，此亦正在威脅著三、四流抑或欠缺特色大
　　學之存立。

2. 時代激變的衝擊

　　（尋找和魂和才之路，因應21世紀姿態的建構的一環）

(1)教養部或一般教育部的解體與重建（通識教育如何建構的緊急
　　課題），以立教大學為例（1997年4月實施）。

a. 全大學共通科目之設計＝綜合教育科目（具有專門性的教養科
　　目）在全大學的共通理念下，以全大學體制能開展抑或該開展
　　的科目群。

b. 設立綜合教育科目之前提＝全大學理念的建構和確認：

(a)促進學生之意識和知性的國際化；(b)強化蒐集語言資訊的能
力；(c)磨鍊學生對待不同文化＝多元文化的因應能力之語言教育
科目；(d)盼望新設計的綜合教育科目除了能培養學生之專業能力
外，還能兼顧到學生人品的陶冶。便於促進學生對人性的深度認
知及幫助學生能建立該具備的價值觀。然藉其廣泛的學識及文化
理想為基礎孕育出學生的創造性理解力及綜合性判斷力為理想。

c. 綜合教育科目之結構

(a)綜合A

①思想、文化

《聖經》之思想與對人觀、基督教思想之展開、基督教思想與諸
種思想、基督教之理智（研討會Ⅰ～Ⅲ）、思索之方法Ⅰ～Ⅳ、
當代思想狀況Ⅰ～Ⅲ、哲學思想（研討會Ⅰ～Ⅳ）、文化人類學
之世界、文化人類學研討會、休閒論、休閒論研討會、體育文化
論。

②藝術、文化

文學與歷史、文學與社會、文學與人、美術與歷史、基督教藝
術、藝術與社會、美術論研討會、音樂的歷史、基督教音樂、音
樂與社會、音樂論研討會、象徵文化。

③歷史、社會

歷史學之多樣性Ⅰ～Ⅳ、歷史學之批判性、歷史學之方法、個人
與社會、當代社會Ⅰ～Ⅱ、文化與社會、地理學之世界、文化遺
產之科學、市場與社會、世界經濟與日本、政治與社會、世界政
治與日本、當代社會與法、法為何、日本國憲法Ⅰ～Ⅱ、國際關
係論。

④環境、人

環境與科學Ⅰ～Ⅴ、生命與環境Ⅰ～Ⅴ、心靈的科學Ⅰ～Ⅴ、心
靈的科學總論Ⅰ～Ⅱ、健康之科學。

⑤生命、物質、宇宙

生命之科學Ⅰ～Ⅳ、生命之科學實習研討會、物質之科學Ⅰ～
Ⅳ、物質之科學實習研討會、人與宇宙Ⅰ～Ⅳ、人與宇宙實習研
討會。

⑥數理

數學之方法Ⅰ、Ⅱ、數學之方法實習研討會、數理與系統（機

制）Ⅰ～Ⅲ、數理與系統實習研討會。

(b)綜合B（2學分，每一個學期為單元）

　　由不同領域的教員擔任學術性、複合性科目。例如：「科學與人」，教員的組合為：理學領域2名（A・B）、醫學領域1名（C）、哲學或宗教學領域1名（D）、法學領域1名（E）、共開半年，13堂課，全教員參與。

①「科學與我」：我如何看科學、科技及研究（全教員，學生）。

②科學與哲學／宗教；歷史，東洋vs.西洋（D）。

③電子／資訊機器與人（類）；到處有電腦，是誰需要自動化／高速化，黑盒子（black box）（B）。

④化學物資與風險（risk），食品添加物，農藥，醫藥品（A）。

⑤技術開發與法律；依據法律能守住什麼及安全基準法（E）。

⑥能源與科學；巨大科學（big science），核子發電，核子融合發電與風險。

⑦科技與環境問題；資源與廢棄／排泄物之越界移動，環境問題與國際法（A・E）。

⑧尖端醫療（Ⅰ）；醫療與心靈（精神、感情），臟器移植與腦死，遺傳子之重組（C・D・E・A・B）。

⑨尖端醫療（Ⅱ）；藉免疫力的防禦，今後的醫療（C・D・E）。

授課期間另開三次專題討論會（除是教員間之交流外，又可從中獲得增長，每學期變換擔任教員之組合，不致僵化）。

(c)資訊科學：資訊科學Ⅰ～Ⅱ、資訊處理。

(d)體育實習（有可能廢止）：體育（運動）實習Ⅰ～Ⅳ。

3. 大學部與研究所的重新定位

⑴一般教育（general education）與專業、技術教育（professional,
　technical education）之對立（角色和功能之差異）。

　　美國大學具有liberal（freeman，自由人）education（通識教
育），liberal arts（學藝；教養學科），即高等普通教育＝菁英人
品教育的傳統→大學之大眾化後（一般教育）＋專業、技術教育
逐漸成為一套（培養善良出眾的市民）日本只移植了一般教育，
前提上欠缺了通識教育的歷史經驗及文化脈絡。另有德國的講座
制（在獨立的專門領域上以講座為單位組織——其並非用學科系
的科目為單位組織——大學部）來推行研究和教育傳統的存在。
此傳統轉為抗拒美式新制之力。因而「一般教育」始終無法紮根
於日本學界。

⑵戰敗後日本的新制，以大學部為中心（預算、人事），機構上
　面，研究所只是附設於大學部之上徒具其形式，虛有其實質位
　階，研究所並沒有獨立之預算和人事），難於開展。

⑶有關「研究和教育的一致」理念之質疑。自1980年代以來，一
　直有改制東京大學為「偏重於研究所」的研究所大學之議。改
　革之議必然地兼有捨棄教養學部＝一般學生之教育之嫌。有識
　之士繼而提出，大學之「教育」功能能否在「研究」至上的邏
　輯下包括一切在其內。也就是說，考入東京大學者並不是全員
　都志願畢業後從事「研究工作者」。事實上，一般學生占多
　數，這一批一般學生如何做好教育才是該有的基本命題。

　　戰敗前日本的大學制度尤其在研究方面，係由德國的一種「研究所大學」而構想設計的。

　　19世紀以後的德國大學確是以培養「研究工作者」為第一優先而逐漸開展。

　　在德國的情形為，大學的專門課程的預備教育被要求在高等學校（Gymnasium）（小學4年＋8～9年）之修學年限在學中完成的。因而德國的大學本來即等於日本的新制大學專門學部課程（後期課程二年）與大學院課程所合為一體者。換句話說，德國的大學即是當今東京大學準備改制的研究所大學。

　　德國大學的「以研究主導，研究與教育一致」的理念，可以追溯到文人政治家威廉・馮・洪堡特（Wilhelm von Humboldt, 1767～1835）。他參與創設柏林大學，高倡了「研究與教育一致」的大學理念。他說「學問尚未被完全地發現。同時，學問又不可能被完全地發現。所以，人們應該如此般地看待學問，有不斷地追求學問之必要」。

　　在這個原則下，大學學校教育意義上之教師與學生的功能上差異將消失。教師與學生在追求學問的路途中，一概同處在研究之過程中，因而「研究和教育」係不分離而是一致的。該有的只是透過研究而實踐教育而已。所謂的教育，不過是傳授該如何做好研究，並講授研究之方法和研究過程而已。

　　但行家都知道，洪堡特之理念雖然促進了德國的科技之快速發展，但一般學生的教養性教育卻被忽視。一般學生，甚至被熱中自己科研的自然科學系教授們當為研究第一的藉口，常被放鴿子。德國斯時的大學皆為國立。然國家教育大權卻掌握在德國浪

漫派菁英之手上。欠缺一般人文教養，嗜科研專業為命的教授們滿浴時代的「陽光」。他們為了獲取更多的研究預算亦步亦趨地靠貼官僚的作法遂成時尚。如此般，不惹禍才是怪事。

　　早已跛腳的大學教育終於在1930年代顯現其負面。德國知識分子之內心世界，普遍地欠缺內省、倫理道德力量，不但沒有能夠自內部阻擋住納粹的狂瀾，往往還甘願當上希特勒（Adolf Hitler）的幫兇。菁英們把和平看成懦弱，讓謙恭流為卑鄙，又把禮貌化為繁文。不但對納粹迫害猶太人之日常，視若無睹，尚有甘心助紂為虐之舉。

　　大學的教育裡面，科研固然值得重視。但學生的教養性教育＝德育又不能忽略。智育、德育、體育並重，三位一體的老課題仍然重要。

　　上述的立教大學之改革試案，只是我舊日同仁為了準備迎接或因應21世紀暨新時代潮流的大學應該具有的新方向和新姿態之一例而已。在大學如何做好「研究與教育」本極複雜，茲篇草草聊獻拙見，懇請批評。

　　本文係為未刊稿。於陽明大學演講之演講大綱，1996年12月19日。為戴國輝教授在台灣較罕見地以大學教育為題演講之演講大綱，特此收錄，以供參考

談我的求學、研究與教育
並給學生的建議

關於求學時代的二三事

　　我的初中二年級前是日據時代，因為戰爭的關係住在中壢鄉下，那時台北也有家。因為有學區制，我可以考台北二中也可以考新竹中學，但當時因為是住客家莊，不會說閩南語，早期家父要我考台中一中，因為那是台籍人士創辦的學校，但因戰爭和學區制的關係就改考竹中。那時竹中一班四、五十人，之中的台籍生只有七到八個，其他都是日本人，所以常被他們欺負。台灣光復以後，因為交通沒有恢復於是我轉學到台北，那時的台北一中，也就是後來的建中，由原來的一中、三中和四中為主，加上泰北（舊台北）、大同、淡水（後改為淡江）集合而成的。但基本上日語的程度都很高，二二八事件前後我們之間的共同語言是日語。

　　高三畢業的那年六月韓戰爆發，當時的大學還沒有聯招，但是由於家中的變故，那時全校畢業生只有我一個人念省立台中農學院（中興大學），住在台中的姊姊家，而沒有去考台大。於是四年之後服完兵役後就準備出國留學，因為當時台灣的政治氣氛

不是很好，加上因為家裡的背景因素所以日文程度尚可，於是就立志考東大。

　　1955年11月到日本，記得是搭21日國泰的飛機，那時到日本要飛八個小時，而且坐飛機的還很少，家父包了一輛大巴士到機場送行，使我十分不好意思。到日本後，翌年二月就要考試，日本的學制是4月1日入學，第二年三月底畢業，因此準備的時間很短，但是非常幸運地考上了。

走上歷史這條路

　　日本殖民統治下的台籍人士望子成龍的觀念頗盛，所謂的成龍便是第一念醫學院，第二是考律師，沒有人念歷史的，我不曾聽說過日據時代在日本的帝大有台籍人士念過歷史科班的，念了也找不到事做，因為日本人不會任用你的。而光復後一切才開始改變，但法學院的興起是這幾年才有的事，以前只能做公民老師。在二二八隨後至1950年代初的那個混亂時代中，青年學子想的都是建國的問題，就是如何強大中國？如何救中國？因為中國是一個農業國家，那時的我，想只要能把農業搞起來的話，中國就有希望了，很多人都是抱持同樣的想法。另一方面由於我的叔父是醫生，開了一間小診所，賺的錢很多，每天都十分忙碌，但是看的病都很簡單，大多是營養不良或公共衛生不佳，衛生觀念欠缺所引起的，有時候家兄也會去幫他配藥，那時候就想：醫生賺錢是有，但是一天又能看多少病人，能救多少人呢？那時剛光復，一心只想著如何能使中國強盛起來，於是決定了南下學農。

　　到了日本之後，日本的狀況對外國人來說很封閉，學院都是國立的，私立夠規模的只有一所，說是要做事就非改國籍不可，而台灣還很混亂，言論學術自由都尚短欠，我不想回來。本來是要轉去美國的，正好當時哥哥過世，留下嫂嫂、姪子女們需要照應，又不願拿日本護照，因此就先在研究所任職，那是準國家機關的亞洲經濟研究所，我是唯一的外國人研究員，在立教大學我也是第一個中國人教授。在日本以學者來說，尤其是非語文系的人文社會科學界生存不容易。於是就慢慢研究台灣經濟、華僑經濟，後來就開始研究農業史，正好立教大學在找老師，由於我的博士論文《中國甘蔗糖業之發展》，加上因為我研究範圍很廣，懂得幾種語言，研究論文已累積有包括華僑史、台灣史、中日關係史、中國現代史，於是被邀請到立教大學去就任歷史系正教授，日本的一流大學請中國人教授而不是教中國語文，那時這是很難得的。

　　因為我開始念的是農業經營、農村社會學，論文是農業史，而後再由農業史轉為一般的歷史學，所以我念得很廣，很多人感到很奇怪，搞農業的人怎麼寫了那麼多與農業沒有直接關聯的日文書，但是我覺得因為這樣，所以我有了與別人頗為不同的切入點。上我的課的時候也是，有人認為像百貨公司，很雜，什麼都可以買得到，但是我認為我的學問雖廣但也是很專的，讀歷史最好是基礎夠廣、夠紮實，因為歷史是一門綜合的科學，但是可以在一方面很專，專攻一門，如政治史、外交史等。

和政大的淵源

　　其實我在1991年9月到1992年2月曾經在政大客座過，那時受到了一些老師和朋友們的支援，寫了《愛憎二二八》這一本書。日本的制度是這樣的，任教滿七年之後有一年的研究休假，這一年的時間可以出去做客座教授或是訪問學員，第一次的休假期間是1983年，我前往美國，以加大柏克萊校區為中心，蒐集在美國有關二二八的史料；1991年第二次休假，我去了歐洲看剛倒塌的柏林圍牆，最後半年到台灣寫《愛憎二二八》，但那時並沒有公開講，因為政大的氣氛仍有一些緊張，有這一個淵源的關係。所以這次提早一年從日本退休回台灣定居，受到系主任與老師們的美意盛情再一次到政大來了，因為對政大已經有了感情，去年是在研究所開課，今年才應系主任的邀請在大學部開課。

對政大學生的一些看法

　　政大不錯，學生的水平都滿高的，1991年和這兩年覺得學生還滿安靜的聽課。今年大學部的出席率比上學期差一點，研究生還挺用功的，日本的學生沒有台灣的認真，或許現在開始比較用功了吧！因為他們面臨了一些基本問題。過去立教大學等一流大學只要考進去，順利畢業馬上就有好職業，可以進入一流的公司，而一流的公司就一定不會倒，這個神話一直在我任職期間流傳著，因此日本的各大學難以考進，但易於畢業。這樣的話，人就容易偷懶，但是現在由於經濟不景氣，一流的公司甚至大銀行

都開始倒了，鐵飯碗快消失了。而台灣學生不一樣，大家都爭著要出國，像我們當年因為金門砲戰等不安定的因素，所以都一定要出國去，現在的情況可能又不同了，政治氣氛也沒有那麼沉悶，出國非常容易。

另外，政大的活動感覺起來很多，這是我女兒給我的印象，她是在日本出生，小學四年級的時候我帶她去加州，回日本以後就和日本環境脫節了。因為美國的教育是很enjoy的，我帶她到處去演講，老師是不管的，而日本就是一板一眼，一定要考好的學校，所以到高一就去考交換學生制度到美國去念書，現在回台來了，念研究所，我可以透過教書及我女兒的日常感受來認知一些，覺得她適應得很好，因此台灣的學習環境還不錯。

台灣的教學和研究環境

1991年的時候，因為寫二二八事件，用了不少國關中心的資料，因為著重於自己所蒐集的資料，所以對系上的情況一直不是很了解，比較有印象的是那時候也許是教育預算高的關係吧。研究所的每個同學都有一台電腦，這在當時的日本還沒有，此點的因應速度很快，還有就是傳真機的普及，台灣也比日本快，可能是台灣半導體研發產品廉價的關係吧。

在教授和學生的關係上，美國是最差的，他們的一切都以利害關係為出發點，研究所學生出來之後可能會成為老師的敵手，而台灣和日本都很尊師重道，但是各有一套自己的模式很難比較。在日本老師和學生的關係很好，學生時代老師常請學生去吃

飯、喝酒聊天，但畢業後學生每年會寄一些家鄉的土產，如一包米、一箱橘子給老師，這是他們的作法。前幾天就有一個日本學生來看我，而婚禮時也都找老師去致辭，他們的婚禮比較嚴肅，不像我們那麼吵雜，中國人就是喜歡熱鬧。

在學時，他們春秋兩季會找一個地方住兩三夜，由學生主動選擇一本書，通常是外交的（英文或中文），一起討論閱讀；最後一天是四年級畢業前的畢業論文初步報告，結束後當晚就一同喝酒、唱歌，老師可以領出差費，學生也有學校補助，如此這般，師生間、學長姊與學弟妹間既可以建立感情亦可以互相琢磨。日本除了忘年會，還有迎新歡送會，這不只是師生，也包括了學長姊和學弟妹們的交流，因此在立教二十多年來，學生間的感情都是不錯的。教學方面一、二年級由年輕的教授負責，三、四年級和研究所才是由我們資深的教授任課，寫論文的方法也是一代傳一代的，老師只給提示，書目和基本資料怎麼找，更多的只提供「問題意識」的建構方法和切入點的一些建議而已，基本上是尊重學生們的自主性思考和打造。

在學校方面，日本是教授治校。日本學者很單純，只要做研究、看書、寫論文，真正做研究的人沒有人會去搶職位的，因為在日本，系主任和校長基本上不具人事權，頂多只能任命圖書館館長和事務性的行政主管而已，其他都是選舉的。校長除了多一些津貼外，只有名譽而沒有實權，但肩負責任，還要處理學生的問題，根本沒有時間做研究。有關教授治校的事在台灣還有需努力，教授治校不是說治校就可以做到的，首先要建立起教授間和學術界的倫理，還要破除那種官大學問大的觀念，去除學歷等於

學力的想法，讓學位是學術著作的副產品而不是為學的最終目的，這是台灣值得努力的地方。

對我影響最深刻的書和作者

可以分幾個階段來談。大學時代是羅曼・羅蘭（Romain Rolland）和他的《約翰・克里斯朵夫》。我先看家兄留日時代攜返台灣的日文本。後來為了兼學中文再讀中譯本。那時的中譯本只有一種，是傅聰（名鋼琴家）的父親傅雷所譯。譯者是那時代法文造詣最高的中國人，但他從香港投共，出版商怕被牽連，把譯者的名字改動，再複刻盜印，這些都是後來到日本才知道的。

進東京大學研究所後，雖然我的專攻為農村社會學、農業經濟學和農業史。但我最關切的課題，都在於如何定位日帝殖民台灣的史實與其批判。矢內原忠雄的名著《日本帝國主義下之台灣》變成我細讀的一本書。為了更進一步了解殖民統治在世界上的意義，非常幸運地發掘了法國猶太裔社會心理學家梅米（Albert Memmi）所著的《殖民地：其心理的風土》＊這本書，以及梅米一系列的著作，提供了我對殖民地統治剖析方法和多方面的切入點。

近十五、六年來，因我擴大了研究範圍，為了解讀華僑的生活哲學及他們之華人化過程的認同危機（identity crisis），我從

＊　日譯本：渡邊淳譯，《植民地：その心理的風土》，京都：三一書房，1959年。英譯本：書名*The colonizer and the colcnized*, Bostin: Beacon Press, 1965年。

心理學再延伸到精神分析學的領域。在此過程，我發現艾利克生
（E. H. Erikson）的認同概念與他一系列的理論，可以引進套用
歷史分析。事實上，已有心理歷史學（psychohistory）的出現。
因他是新方法，新學問，難免有其不成熟之側面。只要確認其局
限性，我們是可以把它善加活用的。拙著《台灣結與中國結》
（台北：遠流，1994）〔參見《全集》4〕便是驅使認同理論來
建構的一些歷史解釋的結果。其他如《史記》、馬克思、韋伯、
湯恩比等人的有關史論，都值得我們從事歷史工作的人去閱讀與
參考的。

　　我一直認為歷史科學是綜合性人文社會科學，所以我非常不
務正業，連吳濁流、賴和、楊逵等人的文學作品也都是我喜歡的
作品。

未來努力的方向和期許

　　到目前為止對自己的研究業績還是不甚滿意，如有關二二八
方面想寫一本學術著作，但尚未著手。而目前我比較滿意的作品
是《台灣總體相》（台北：遠流，1989）〔參見《全集》2〕這
本書，原版是日文書，在日本銷了十萬冊。但已十年了，需要改
版，原因是還沒有把李登輝總統時代寫進去。另外答應了日本的
出版社要為二二八事件出一本日文書，還想寫一本批判台灣知識
分子的書，可能出版後會遭到圍剿吧！人總是不願意接受批判
的。我的博士論文《中國甘蔗糖業之發展》，拿到學位不久便印
成書了，但是不很完整，畢竟那是年輕時候寫的第一本日文書，

如今可能的話，希望能用日幣100萬買進一年的時間就好了，學無止境啊！年輕人總認為還有很多時間，其實光陰似箭，時間一下子就流逝。

給同學的一些建議

初期可以先看學人的傳記、政治家傳記、史家的傳記，參看他們是如何去思考以及追溯他們的心路歷程，又該從其研究方法的建構過程去吸收。如我在念農經的時候，是找一些農經方面大師們的研究回憶一類的文章或著作，參看他們的心路歷程，看他們如何做學問。後來做歷史也是，多看前輩學人的經典之作，不要老是想去找譯文或是便宜薄薄的書，困難的書沒有關係，反而值得去挑戰，他們總有其獨特的看法。

閱讀、思維、撰述（做札記）是一套機制。善以運作這個機制的學人，一定是成功的研究者。多比較，我們就會有新的觀點。遇到困境的時候要多看、多思考。寫論文時，常常有人會說書看得不夠不走筆，其實不是，寫、讀、思考是一套東西，除了寫之外還要一邊看，看了以後要想。其實在下筆的時候都會生起從何著筆的逡巡。但我得勸告同學，別怕，大膽地先下筆，遇到瓶頸時再去看一系列有關的論文或著作，千萬不要抄襲而是要去思考，思考以後再吐出來，這就是我所講的主體性思考，如何建立自己的觀點是很重要的。

希望你們年輕一代除了中文一定要學好外，英文也是很重要的，至少要看得懂《Newsweek》，一定要掌握另一種文字，英

文主要可以方便電腦的使用，如此才可以得到快速的資訊。而另外再學一種語文，就可以多一些比較的不同觀點，日文方面是因為日本翻譯了很多書，而且品質都不錯，如果只看一個文字的論著，就可能在那兒鑽牛角尖，摸不著新的看法，有別的語文基礎，就可以多一些切入面。

　　現在的你們頭腦是海綿狀態，一天起碼有三分之一要用來吸收知識並加深自己的認知，而且不要一個人看書，討論是很重要的，像日本三、四年級的課就是以研討課為中心。另外身體要好，多運動，書看太多不一定好，但是經典之作一定要看。主要是多去思考，進了大學便要做一個大學人，要具有知識分子該有的品味，公私要分明，批判可以，但要富有愛心的批判，有進步性的，保持希望，大家一起來繼續努力！

本文原刊於《史薈》第31期，政治大學歷史學系，1998年5月，頁9～13。由冷翔雲記錄整理。原題「研究廣博的戴老師」

語言與教育

◎ **李毓昭譯**

　　我是在日本待了41年，去年〔1996〕從立教大學退休，回到台灣，昨晚又從台北趕來的戴國煇。我一直都在閱讀加藤〔周一〕與多亞（R. P. Dore）兩位先生的著作，獲益良多，但是我覺得這兩位實在太悲觀了。

　　我雖然不是語言學家，但或許可以說有某些感觸，加藤先生所說的部分，亦即語言上的支配與被支配關係，在21世紀不是變得越來越淡薄嗎？這麼一來，語言本身就變得只是工具而已。只是工具的話，不是就不再被賦予價值了嗎？自從英國因現實問題而染上英國病之後，我們就不再認同所謂的King's English或Queen's English，但說美式英語的美國人，尤其是東部人，還是會說他們的英語是King's English或Queen's English，而有點神氣。那不過是美國在20世紀體驗的物質文明表徵。未來的英語在自然科學、商業上，只會被當成方便的電腦、網路工具使用。這個說法應該是沒有錯的，但英語並非全部。如同湯川〔秀樹〕先生在著作《旅人》中所說的，連那位理論物理學大師的英語也不是那麼流利。我曾前往普林斯頓大學查看愛因斯坦的資料，愛因

斯坦在美國的期間，根本講不出幾句英語。這事並不重要。

所以問題是在於是能否自由發揮感性，或是透過文字來表達。我想加藤先生要表達的是一種危機感：如果英語變成支配全世界的語言，我們究竟有沒有未來？可是在這方面，我並沒有危機感。我認為相較之下，到了21世紀，美國所代表的價值就會逐漸衰退。而在美國內部，WASP（盎格魯撒克遜清教徒）的力量也在相對降低。根據統計，不會說美式英語的人口正在急速增加。因此，我認為可以不必那麼擔心。

非重新檢討不可的毋寧是教育方面吧？現在，日本正要接受的是和魂和才。不是和魂洋才，而是和魂和才。日本人本身喪去了模仿對象，要考慮的課題是如何面對世界，有創意地發揮自己的個性。所以從10到18歲的問題並不是英語。以前的日本資本主義或日本式經營向來善於利用團隊合作，亦即善用從外面借來的東西，加以靈活轉換，做成世界性商品。然而，現在這麼做行不通了。大科學的問題姑且不提，日本的年輕人如何變得有創意、有個性才是問題所在。

就這一點來看，舉個不知道對不對的例子，以血緣來說，在我的記憶中，移民外國的日裔第二、三代還沒有人獲頒諾貝爾獎。雖然我不認為諾貝爾獎可以蓋過一切，但以粗淺的例子來說，有中國血統的獲獎者有五人。最近以實驗物理獲獎的人是頭一個在美國出生的，只會說一點點中國話。然而，他的父母親都是MIT博士，也是大學教授。其父母是第一代，他是第二代。他也經常回台灣演講。在那之前獲獎的都是百分之百在中國或台灣受過教育，才去美國念研究所，而開始活躍。要如何思考那裡的

研究條件和之前的部分呢？中國人移民美國的歷史已有一百數十年。為什麼ABC（American Born Chinese）就做不到呢？我認為這恐怕不是單純的語言問題。

大岡〔信〕先生也在座，他一直在支援台灣研究《萬葉集》的團體，我也出席過這個團體的聚會，所以很了解得獎者。他是舊制高等中學出身的醫生，這個部分是完全負面的，在台灣完全沒有影響力。然而，日本人統治台灣50年的結果，還有這樣的東西留下來，要說這是一種獎勵，也是很可喜的；但其實本身並不是那麼重要，因為我們台灣人雖然在50年期間受到日本的殖民統治，但能夠用日語寫出文學作品的人也只有陳舜臣和邱永漢而已。

我之前在日本一直在注意中國、台灣問題。這次回台灣快一年了，我知道從台灣看日本時，台灣的朋友有很大的誤解。因為受了50年的統治，所以會說日語。這種日語是在街市買菜程度的日語。很遺憾，並不是能聽懂加藤先生演講的日語。然而，日本人完全不知道這一點，來了就覺得台灣人非常親日，日語說得通感到高興。可是，那種程度的日語不應該給予高度的評價。就這方面來說，我從以前就覺得，中國話雖然沒有在語言上支配東亞，卻提供了文字，這一點很有意思。

本文原刊於《FUKUOKA UNESCO》第34號（福岡ユネスコ協会創立50年記念特集号），福岡市：福岡ユネスコ協会，1998年7月，頁41〜42。於福岡ユネスコ主辦「第8回九州国際文化会議」討論會中的發言。原發言前的小標題「討議を聞いて感じたこと」

從提早學英語、英語教學，漫談語言與文化、心靈精神及政治的關係

　　英語學習的問題近來成為媒體焦點。七月上旬，教育部長林清江宣布，配合九年一貫新課程的實施，90學年度，英語將成台灣小學學生的必修課程，另外在中研院院士會議上，吳京等院士也建議推動「大學以英語教學」。吳京說，他曾嘗試在大學開設以英語教學的物理班，結果沒有人選讀，因為學生想到考試考不過中文班的學生，就不選了。美國柏克萊大學校長田長霖也認為，以英語教學是台灣面臨全球化的迫切問題。相較於香港重新檢討英文教育的現況，台灣教育界的各種意見似乎又顯現了天平的另一邊──對英語教學成果的不滿意，而且企圖進一步加強。

　　但在另一方面，有關閩南、客語、原住民語等各族群語言（在台灣一般稱為鄉土語言）的流失，卻也為社會大眾矚目。教育部長林清江就表示，在九年一貫新課程裡，20％的彈性課程，可用作母語教學之用。而在許多縣市的國民小學，母語教學早已實施經年。另外去年台灣大學數學系教授楊維哲破天荒的以台語講授數學課，除顯示楊教授對教學語言的自主選擇外，也反應了楊教授對主流語言國語的批判。

　　語言是一種符號，單純地看是一種溝通工具，但毋庸諱言，它與文化、歷史、經濟及政治均息息相關，有關台灣日益增多但卻少見討論的語言問題，包括國際強勢語言（英語），標準語（國語）及鄉土語言

（閩南語、客語、原住民語等），這些糾葛問題，我們可以怎麼看，本刊訪問了精通東亞歷史的日本立教大學榮譽教授戴國煇，以下是訪談整理。

　　有關台灣近來對英語學習的討論，是不是只要提早學英文，英文能力就能增強？甚或在大學，以英文教學等問題，我的看法是，這和整個國際經濟發展的情況，特別是電腦的普及使用，都有關聯。怎麼說呢？不管電腦語言或科技等語言，充其量只是一種技術性語言，也就是適合工具使用的語言而已，而我們使用語言，更高層次是在利用語言來表達心中情感及思想，在此內涵下才能顯現不同文化，否則也不會有西班牙產生畢卡索、中國產生張大千、齊白石等藝術的不同了。使用一種語言它的目的是什麼？又該如何學習最有效？我們得從文化內涵、政經或是科學工具發展的現況與語言學關聯的研究來做基礎。

　　但是我特別想談的是，不管台灣也好，香港也罷，甚至一些第三世界從殖民地體制被解放，重新建立自己的國家，總會面對所謂「標準語」的制訂及與鄉土語言對立的問題，有關這些我們的思考是什麼？

　　一個「近代國家」成立時，為行政效率、國家統合，它總要慢慢地將各地的方言整理出一個標準化的語言，通常是所謂「大多數人使用的語言」，也就是優勢語言，這種標準語後來變成各國在辯識與別國不同的一個標記，因此不管為了凝聚自己國家的威信也好，增加地位也好，一個國家在初成立時，一定會強化它的國語政策，這就是英文講的nation state，也就是「國民國家」

的出現。

「國民國家」出現之前有「民族國家」，「民族國家」中「民族」的概念比較不容易釐清，任何一個國家都有比較優勢民族，比較優勢的可能會領導成立某一個「民族國家」，意思就是將邊疆、少數民族擺平之後，研議出來一種國民意識，變成「民族國家」。18、19、20世紀都是「民族國家」互相爭鬥的歷史，後來才分出來東西方的對立，共產與自由主義的對抗。在這個過程中，語言變成溝通的障礙之一。於是在19世紀有位柴門霍夫（L. L. Zamenhof, 1859～1917），他是一個猶太人，他認為猶太人受歧視，是因為語言溝通不良，所以希望能夠有「世界語」──也就是一個價值中立的語言出現，這就叫作Esperanto，但世界語充其量只是一個「溝通」的語言，還無法變成文化或是一個文學工具的語言。

語言的問題有很多糾葛，與經濟、國際現勢等綜合力量有關，20世紀以來，一直有人認為英語的霸權我們不能接受，甚至有法語對抗英語的運動，過去也一直有人想將我們使用的「國語」發展變成「世界語」，但都沒成功。

很有趣的一個現象在中國出現，中國各地有許多方言，發音不同但文字一樣。其實全世界大概的文字有5,000種，但主流的語言可以算得出，所謂聯合國的公用語言，如英、法、俄語、中國話，但是也有西班牙、葡萄牙、德語等，這幾種比較優勢的語言背後，有什麼在支撐它的優勢？其實就是國家的綜合力量在支撐它，使它有語言的優勢。

但是要注意，一般人的常識是認為任何國家都有獨特的語

言，其實不很正確。例如美國有沒有美國語，唯一台灣常會看到廣告「美語講習班」，其實沒有這種講法。最多只有英語在美國的特殊國土的變種。所以美國的英語，與新加坡的英語，所謂英國的common wealth（聯邦），也就是殖民地所用的英語也是英語的一種變種。

瑞士沒有瑞士話，主要是德、法文、義大利文。因為它是個緩衝地帶。比利時也沒有所謂的「國語」，主要是德語和荷蘭語。又如世界杯打進前八強的克羅埃西亞，其實是南斯拉夫的主流語言，過去被南斯拉夫所征服。每個國家有「國語」這樣的現象不一定是常態。

語言流傳還和它使用的情況有關。福州是福建省會，但福州話卻沒有廈門話流行，為何福州話不流行，會不會是因為從廈門出去的華僑的力量超越了福州所體現的經濟力量。上海話、廣東話為何有力量？主要是經濟力量所致。日本也是一樣。日本大阪腔比較能維持優勢，京都腔比較文雅，反倒不流行。任何一個優勢的語言的後面，是使用語言人們所具有的綜合力量，以經濟力量為主，有時是政治，甚或文化力量。例如客家話，為何不會被消滅掉，可能是客家人自我的美化，認為客家人的文化不輸遷移到土地的「當地人」所致。

語言當然也有流動關係。例如我住中壢鄉下，要到城裡碰到閩南人才知自己和別人不同，但中壢的客家人都會說閩南話，中壢住久的閩南人也會說客家話。

什麼叫母語？過去我們的遷徙沒這麼頻繁時，所謂母語是和媽媽血緣相通的語言，一旦生活方式改變，小孩受奶媽、外勞或

是電視影響很大，於是「媽媽」的影響慢慢變淡。我的孩子在日本長大，日語當然最好。反之血緣關係的客家話母語不見了，所以母語不見得與血緣有關，而是環境因素影響更多。什麼是母語？我寧可說，能自然將自己的感情、感性表達出來的才是母語。

　　目前台灣有一股力量是提倡本土化──提倡台語等問題，我常笑說，這是利益在掛帥。就像日據時代，當時有所謂「國語」家庭，為何有國語家庭？有人說日本治台末期，皇民化很成功，那麼就不需要「國語家庭」了呀，就是因為它皇民化效果不彰，於是必須要有「榜樣」在。「國語家庭」的孩子考學校可以加分，布匹、豬肉的配給也多。有這麼多利益，日據時代台灣的歐巴桑、歐吉桑當然就開始學日語，所以就有「國語養成所」的設立。

　　現在台灣的語言問題變成非常情緒化，我覺得了解台灣的語言問題要用「語言心理學」來切入。光復時，全島都狂熱學國語，為什麼？忙著認同大陸呀。那時大家對大陸也不了解，不知蔣介石是浙江國語，毛澤東是湖南國語。後來慢慢知道，但貪官污吏不講理，他們對近代事物不了解。雖然我們對近代事物的了解也是透過殖民地統治拿到台灣所謂具有「現代性格」的事務，包括電燈、自來水、火車、後來才發現，陳儀的乞丐兵，連火車都沒坐過就被抓來。他們被台灣人看不起，可卻是代表勝利者的一方。後來台灣人一廂情願，「戀母情結」因而失望，有了偏差，等到「二二八事件」發生，對立更嚴重，本來學國語的狂熱，變成講國語的是「豬仔」。後來穩定下來，台灣建立了新秩

序，好學生念建中、一女、二女等好學校念完了想進好學校，需要國語，許多人才又重新開始學國語。另一方面，一部分的人不能從政只能搞生意，與日本的關係又密切起來。本來日本話已經不值錢，突然日本話變成一陣旋風，一直到現在，日文系的入學分都很高，也是此故。

現在的情況是，雖然常常在談本土化，過去恨國民黨，討厭外省人的心理有些還未消褪，現在又討厭大陸那方的共產黨，不認同它，雖說是政治上的，但語言還是不認同它，有抗拒心理。於是主張不要這種「國語」。

國語與「國家認同」有關。台灣語言發生問題是對認同的分裂。香港的語言有種種糾葛，至少我的觀察是，一部分原因源自對北京政權認同的抗拒，當然中共因為台灣的關係在忍耐，假如國家認同沒分裂，像日本從明治維新一路下來，它的國語會走向更健康、優美及合理。語言這東西要讓它「自然狀態」長大，像植物一樣，要修剪，之後才能讓它慢慢變成標準語。通常一個「近代國家」成立之後，比較優勢的語言慢慢擴張，然後慢慢成長，變成「標準語」，但是假如有另外一股有著反感的勢力，或不承認此一語言，就會慢慢發生語言的衝突，和宗教一樣，是動亂之源，台灣不可以不小心。

如今大家對英語的重視，很大部分是電腦網際網路的出現所致，但這會不會只是工具化的原因？人類如果只靠這些工具化的語言夠不夠？由於電腦的發展，英文可能會普遍化，但只是一種工具的普遍化，人不能只靠機器，我們還有心靈、精神生活的部分，難道我們的感情和英文的土壤有關？

　　另外我們要談到第三世界的語言問題。1950年代我在東京時，印度留學生問我說：「你在台灣念大學用什麼話？」我說，用「中國話」。他嚇一跳說，「咦，不是用日本話？」印度，現在也許好，1950年代印度還沒辦法用印度話在大學教書，中共和印度打一次仗，那時領兵的印度人用英文，印度兵卻聽不懂英文（印度語是底層的語言），因此之故，印度兵統統被中共消滅掉了。當新的統治者因為來不及培養本土語言，只好用前面的統治語言暫時代替，造成後遺症。

　　有一位芝加哥的名教授曾對我說，全世界最笨的是美國人，我嚇一跳，問為什麼？他說因為日本人會法文、德文等，美國人只會「英文的變種」（正統是英國的英文），所以將來有苦頭吃，但目前大家還沒有自覺。

　　另一個流亡巴黎的美國黑人作家理查‧萊特說，你們第三世界的人，還擁有自己的文字、語言，我們從非洲被帶到美國的黑奴後代，被留下來的只是我們皮膚的顏色。所以你們還算幸運，為何不把自己的語言充實。

　　現在很多朋友，政治化、本土化的內涵還沒搞清楚，他們只批評過去講台語罰錢的政策，而且還要壓抑國語。我對東京的台獨朋友說，不要那麼忙，政權拿到了，大家再通過「台灣共和國」的國語還來得及，你們現在就一直台語不離口，要不要我們客家人也參一腳，加入你們的行列去爭取本土語言？你們要以台語為「國語」，說不定客家人反對，閩南人也不一定贊成。

　　若要說建國，美國人建國也沒說「我講的不是英文呀」，甚至在東部還標榜說，我講的是英格蘭英文、法式英文。同時，我

們不要忘記，二次世界大戰還沒開始以前，美國的菁英一定要到牛津、劍橋，義大利一定要到羅馬，法裔一定要到索邦大學，德裔則是柏林大學，但沒有人是在恨原鄉的人、原鄉的語言。現在台灣很奇怪，當然是因為中共鴨霸，大家在抗拒，但也不能因政權害語言。語言這種東西，是要我們活得更尊嚴一些，在應用上要能看更多書，與更多人交往，現在台灣一些人已經將語言的問題無限上綱了。

本文係為未刊稿。係戴國煇口述，由陳淑美記錄整理。1998年。標題係由戴國煇所訂，原採訪題目為「戴國煇教授訪談：豈止是溝通工具？從語言心理學談起」。原預定刊於《光華雜誌》1998年11月「重彈台語調，眾聲正喧譁」專題，但因雜誌篇幅有限，未全文刊登，僅使用部分訪談內容。《全集》特別收錄原紀錄稿全文，以饗讀者

譯者簡介

李尚霖
1971年生。輔仁大學日文系畢業，日本一橋大學言語社會學博士，現爲開南大學應日系助理教授。譯有：《單身寄生時代》（新新聞文化）、《伊斯蘭的世界地圖》（時報）、《陰翳禮讚》（臉譜）等。

李毓昭
1961年生。中興大學社會學系畢業。曾任出版社編輯，現爲專職譯者。譯有：《銀河鐵道之夜》（晨星）、《顏面考》（晨星）、《霍去病》（實學社）等。

林彩美
1933年生。中興大學農經系畢業，日本東京大學農經系博士課程修畢。旅日長達40年，中華料理研究家，曾主持梅苑中華料理研究室（日本）二十餘年。致力於梅苑書庫的保存與研究，長期投入《戴國煇全集》的編譯工作。
著有：《中菜健康瘦身法》（文經社）、《新灶腳的健康料理》（文經社）等；主編：《戴國煇文集》；策劃：《戴國煇全集》等。

林琪禎
1978年生。文化大學日文研究所碩士，現就讀於日本一橋大學大學院言語社會研究科博士後期課程。譯有：〈戰後初期台灣的「國語教育」（1945-1949）〉、〈故宮博物院所藏1848年兩件浩罕文書再考〉等。

孫智齡
1963年生。現就讀於輔仁大學比較文學研究所博士班。譯有：《宮尾本

平家物語》（遠流）、幕末（遠流）、天璋院篤姬（如果）等。

陳仁端

1933年生。中興大學畢業，日本東京大學大學院農學博士。曾任職於台糖公司花蓮糖廠、日本大學教授。譯有：《土地利用の経済的研究：台中（台湾）地域における》（東京：農政調查委員会）等。

劉靈均

1985年生。現為台灣大學日文所碩士生，專攻日本殖民地時期詩歌，並任中國文化大學推廣教育部、台北市立成淵高中等兼任講師，兼職日語口譯及筆譯工作。譯有：《第九屆亞洲兒童文學大會論文集日文版》（共譯，台東大學）、《歐洲統合史》（共譯，五南）。

（以上依姓氏筆畫序）

日文審校者・校訂者簡介

◆ 日文審校

吳文星

1948年生。台灣師範大學歷史研究所博士。曾任美國哈佛大學及史丹佛大學訪問學人，東京大學、京都大學等校外國人客員研究員及招聘外國人學者，歷任台灣師範大學進修部教務主任、歷史學系主任、文學院長，現爲台灣師範大學歷史學系教授、台灣教育史研究會會長。研究專長爲台灣近現代史、中日關係史。

著有：《日據時期在台「華僑」研究》、《日治時期台灣的社會領導階層》、《台灣史》等；〈東京帝國大學與台灣「學術探檢」之展開〉、〈札幌農學校と台灣近代農學の展開──台灣總督府農事試驗場を中心として──〉、〈京都帝國大學與台灣舊慣調查〉等論文一百餘篇。

林水福

1953年生。日本東北大學文學博士。曾任輔仁大學外語學院院長、日文系主任、所長；高雄第一科技大學副校長、外語學院院長；興國管理學院講座教授；東北大學客座研究員等，現爲台北駐日經濟文化代表處台北文化中心主任。專攻平安朝文學、近現代文學，兼及台灣文學、翻譯學。

著有：《他山之石》、《現代日本文學掃描》、《源氏物語的女性》等；譯有：遠藤周作《影子》、《沉默》等；谷崎潤一郎《夢浮橋》、《細雪》等。並於《文訊》雜誌開設東京見聞錄，《聯副》開設東京文化現場專欄。

林彩美

（簡介略，見前述）

（以上依姓氏筆畫序）

◆ 校訂

陳梅卿

1952年生。輔仁大學歷史系畢業，日本立教大學文學研究科（東洋史專攻）博士。現為成功大學歷史系教授。專長及研究領域為台灣史、台灣宗教史及日本文化史。

著有：《高雄縣基督教傳教史》、《宜蘭縣基督教傳教史》、《說聖王，道信仰──透視台灣廣澤尊王》；〈媽祖行腳六年〉、〈日據時代台南大天后宮之遶境──以《台灣日日新報》為例〉等。

戴國煇全集（全27冊）・各冊內容

戴國煇全集 16
【文化與生活卷】

著　作　人　　戴國煇
策劃／總校　　林彩美

編　輯　製　作　　財團法人台灣文學發展基金會
　　　　　　　　10048台北市中山南路11號6樓
　　　　　　　　02-2343-3142
編　輯　委　員　　王曉波　吳文星　張錦郎　張隆志
　　　　　　　　陳淑美　劉序楓（依姓氏筆畫序）
主　　　編　　封德屏
執　行　編　輯　　江侑蓮　王為萱
美　術　設　計　　不倒翁視覺創意

出　　　版　　文訊雜誌社
發　行　人　　王榮文
發　行　所　　遠流出版事業股份有限公司
　　　　　　10084台北市中正區南昌路二段81號6樓
　　　　　　（02）2392-6899
　　　　　　http：//www.ylib.com

排　　　版　　浩瀚電腦排版股份有限公司
印　　　刷　　松霖彩色印刷事業有限公司
初　　　版　　民國100年（2011）4月
定　　　價　　全27冊（不分售）精裝新台幣16,000元整
ISBN　978-986-6102-11-0（全集16：精裝）
　　　　978-986-85850-4-1（全套：精裝）

國家圖書館出版品預行編目（CIP）資料

戴國煇全集．16，文化與生活卷／戴國煇著．
－－ 初版．－－ 台北市：文訊雜誌社出版；遠流
發行, 2011.04
　　冊；　公分
ISBN　978-986-6102-11-0（精裝）

1. 史學　2. 文集

607　　　　　　　　　　　　　100001722